SIMON BOULE
S0-AEL-177
M'AS-TU VU ?
2 • EN CONTRE-PLONGÉE

Je suis né en mai, c'est moi le printemps.
Louis-Ferdinand Céline, *Voyage au bout de la nuit*

« Je nourrissais mes rêves de devenir Barbra Streisand.
C'était ça ma vie, mes aspirations, mon adolescence.
Funny Girl. Dans la salle de bains, je me façonnais
des beautés de star. Une serviette autour de mes
cheveux mouillés et une autre autour de mon
corps très rondelet, je me regardais le visage
dans le miroir (…). J'étais Barbra Streisand. »
Geneviève Robitaille, *Chez moi*

À Karine Gonthier-Hyndman (la nièce de James)
qui me fait me sentir beau

Je ne sais plus comment l'idée m'est venue. Si je fais un effort d'honnêteté, je crois que c'était par désir de vengeance. Oui, c'est ça: j'avais envie de me venger. De montrer à mon ancienne école que je vaux quelque chose. Que je suis capable, moi aussi, d'être sous les projecteurs. L'école secondaire Pierre-Jean-Jacques a voulu me reléguer au fond de la classe pour des critères esthétiques? Eh bien, ici, dans ma nouvelle école, je vais prendre les devants!

Quand la téléréalité *M'as-tu vu?* a annoncé en grande pompe sa seconde édition sur la chaîne *Cool comme tout!*, j'ai saisi l'occasion. Je n'ai pas réfléchi très longuement et j'ai inscrit ma nouvelle école, soit le collège privé Marie-de-la-plus-Haute-Espérance. Quand on sait combien j'ai méprisé cette vulgaire émission télé l'automne dernier, ça a de quoi étonner, j'en conviens. Mais ça a été un genre de réflexe. Un réflexe de survie. Ou de vengeance, plutôt. C'est ça: un réflexe de vengeance. Tu me pousses avec ton gros cul pour prendre toute la place? Parfait. Alors je te pousse avec mon gros cul pour prendre toute la place. J'ignorais que j'avais ça en moi. Maintenant, je le sais. Je suis peut-être plus méchante et perverse que l'image que je projette. Tant mieux.

Au départ, quand je lui ai parlé du projet, mon directeur, monsieur Paul Mignot, était très réticent. Il trouvait tout ça racoleur. C'est le mot qu'il a utilisé. *Racoleur.* J'avais beau être secrètement de son avis, j'ai plaidé ma cause du mieux que je le pouvais. Il a pris du temps pour y penser et m'a fait revenir dans son bureau pour qu'on en discute. En m'écoutant, il s'est passé continuellement la main dans ses cheveux gominés, comme s'il cherchait à en retirer le surplus de gel coiffant qu'il se met chaque matin. Il faut dire qu'il en utilise encore plus que monsieur Robillard, mon ancien prof de français. C'est à croire que plus un monsieur se trouve important, plus il se fait reluire la chevelure !

– Cybèle, je ne sais pas comment ça fonctionnait dans ton ancienne école, mais ici, on est une école sérieuse. Très sérieuse. Les élèves ont leur réussite scolaire à cœur.

– Mais moi aussi, monsieur Mignot ! Moi aussi !

– Alors, essaie de me convaincre d'endosser cette inscription. Si tu as des arguments intéressants, j'embarque.

J'adore me montrer pertinente. Et j'aime de plus en plus me prendre pour une politicienne. J'ai plaidé ma cause avec brio.

– Pour moi, *M'as-tu vu ?*, c'est une belle occasion à saisir. Tout d'abord, je vous rassure tout de suite, monsieur Mignot : ça ne dure qu'un mois ! De la mi-mars à la mi-avril ! Quatre petites semaines ! C'est tout ! Pas plus ! Ça n'affectera en rien les résultats de vos élèves.

Au contraire, ce sera un moteur pour eux. Ça va les pousser à se surpasser. À relever de nouveaux défis ! S'ils se sentent filmés, les élèves sont plus rigoureux. Les résultats scolaires des cinq écoles retenues la saison passée l'ont prouvé. À Pierre-Jean-Jacques (qui n'est pas une très bonne école, vous le savez), en comparant les résultats scolaires aux examens de Noël dernier avec ceux de l'année précédente, on a remarqué une augmentation de 9 % de la moyenne générale ! 9 %, et ce pour les cinq niveaux du secondaire ! C'est pas banal ! Et c'est sensiblement la même chose pour les quatre autres écoles qui étaient en compétition. Mais c'est pas tout, monsieur Mignot. Cette téléréalité-là, ça donnerait une incroyable tribune à Marie-de-la-plus-Haute-Espérance ! Plusieurs personnes croient que les élèves qui fréquentent les écoles privées ne sont que des enfants de riches. Des petits bourgeois prétentieux et élitistes, qui se croient plus importants que les autres. Que le reste du peuple. Des enfants-rois. Eh bien, monsieur Mignot, participer à *M'as-tu vu ?* montrerait combien les gens qui croient ça ont tort. Les élèves de Marie-de-la-plus-Haute-Espérance sont pleins de projets, aucunement dédaigneux de ce qui est populaire. Je le sais bien, ça fait plus d'un mois que je suis des vôtres. Ensemble, vous et moi, monsieur Mignot, nous pourrions déjouer les stéréotypes. Créer la surprise. Être là où on ne nous attend pas. Et tous ensemble, nous pourrions bâtir un monde meilleur.

Bon, je n'ai peut-être pas dit la dernière phrase. En fait, j'espère de tout mon cœur ne pas l'avoir dite. Elle est intense et n'a pas trop rapport. Mais il faut préciser que j'étais chargée à bloc, investie d'une mission (un peu) stupide : faire participer coûte que coûte ma nouvelle école à la téléréalité la plus débile du Québec. Tout ça dans le simple but de faire baver de jalousie mon ancienne rivale, Magali-pas-de-E Loiselle-Bienvenue, et de faire sentir atrocement mal madame Jugement Provencher, la directrice de Pierre-Jean-Jacques, l'école secondaire qui m'a manqué de respect.

Monsieur Mignot a été impressionné par mes arguments et s'est vu obligé d'accepter que je soumette la candidature de l'école qu'il dirige depuis des lunes. Avec le recul, je crois qu'il ne s'attendait pas à ce que son collège se retrouve parmi les cinq écoles finalistes devant s'affronter pour le titre de l'école la plus *cool* du Québec. Car oui, ma nouvelle école a été retenue ! Il faut dire que j'ai vraiment mis le paquet pour être sélectionnée. Avec ma meilleure amie, Marie-Jeanne, nous avons emprunté la caméra de son beau-père et fait un sympathique documentaire sur notre nouvelle école.

Une importante parenthèse s'impose ici : en janvier dernier, Marie-Jeanne m'a suivie ici, dans mon collège privé. C'est Patricia, sa mère, qui a lancé l'idée, quand elle a compris que sa fille s'ennuierait trop de ma présence en classe, et qu'elle n'était pas spécialement attachée à Pierre-Jean-Jacques. Financièrement, Patricia pouvait se le permettre. Car depuis sa première *date* avec Richard Tougas (un riche veuf de 61 ans dont elle a fait la connaissance sur le site Réseau Contact), les choses ont déboulé. Elle avait raison d'avoir l'impression que sa vie allait changer en rencontrant cet homme d'affaires spécialisé en sirop pour la toux. Sa vie s'est véritablement transformée (et celle de ma meilleure amie aussi, par conséquent). Marie-Jeanne et sa mère vivent maintenant dans le château (j'exagère à peine !) de Richard, le monsieur des sirops pour la toux. Oui, oui, c'est un peu beaucoup rapide, j'en conviens. Car après tout, ils se sont rencontrés à la toute fin du mois de novembre, l'automne dernier. Mais les deux se sont dit : « Calique, perdons pas de temps, on a juste une vie ! » Ça a été vraiment fulgurant. Le 1er janvier dernier, Patricia a cassé son bail et est déménagée dans le manoir de Richard avec sa fille, leurs deux valises et le panneau-réclame en carton de Justin Bieber volé l'année dernière à la pharmacie. Marie-Jeanne m'a raconté que Patricia a reçu de son riche veuf une bague de fiançailles pour Noël. Elle a été heureuse pour sa mère, mais aussi pour elle-même, car pour la première fois de sa vie, mon amie a reçu une quantité industrielle de cadeaux, dont deux bouteilles de parfum *Girlfriend* de Justin Bieber et des billets pour le spectacle de ce dernier. Depuis que je sais ça, quand je vois le sourire constant de Patricia et de mon amie, je crois que le bonheur, ça s'achète.

Maintenant qu'elle refait sa vie avec son riche Richard, Patricia est radieuse. Elle ne porte que des robes à froufrou très colorées achetées par son fiancé (j'en déduis que Richard a une passion pour le look *flamenco* !). Elle a aussi une petite tendance à exagérer sur le maquillage. Mais surtout, elle a perdu beaucoup de poids. Si elle est rendue un poids plume, c'est parce qu'elle a coupé totalement les *chips* du vendredi et du samedi soir. Marie-Jeanne, elle, maintient son poids enclume. Elle continue à dévorer des grignotines salées les soirs de semaine, devant la télé. Seule différence : la marque de ses *chips*. Maintenant qu'elle est fortunée, elle est passée de la marque économique Personnelle du Jean-Coutu à une plus dispendieuse. Marie-Jeanne ne jure plus dorénavant que par les Miss Vickie's. « J'ai le droit d'en manger plus, car elles sont moins grasses ; elles sont cuites au four ! » clame-t-elle à tout vent.

Mais surtout, depuis qu'elle est fortunée, elle a le luxe de choisir l'endroit où elle veut étudier. Et elle a choisi – ô surprise – mon collège ! Alléluia !

Tout ce qui me manque ici, à Marie-de-la-plus-Haute-Espérance, pour parfaire mon bonheur, c'est Maxime Daneau. J'en viens à souhaiter secrètement que le père de mon chum rencontre une veuve riche à craquer qui lui permettrait d'abandonner Pierre-Jean-Jacques au profit de mon collège d'enfants de riches. Mais ce genre de miracle n'arrive qu'une fois. Et c'est tombé sur la mère de Marie-Jeanne.

Oh, oui, une autre parenthèse s'impose ici : depuis décembre dernier, le 26 pour être plus précise, je suis officiellement en couple avec le beau Maxime. Mon bonheur à moi ne coûte pas grand-chose !

Donc, j'en étais au documentaire que Marie-Jeanne et moi avons réalisé avec la caméra ultra-performante de Richard-sirop-pour-la-toux-grasse Tougas. Dans notre film, nous expliquions pourquoi nous serions les candidates idéales pour cette seconde édition de *M'as-tu vu ?*. Nous confessions que nous avions été ostracisées dans l'autre école. Nous avons même utilisé le mot intimidation, très à la mode depuis peu, et souvent détourné de sa vraie définition. Marie-Jeanne a dit une phrase coup-de-poing dont elle était très fière. Quelque chose comme : « Notre ancienne directrice nous a intimidées, Cybèle et moi, en nous mettant au fond de la classe, sous prétexte que nous n'étions pas assez "photogéniques". » Je poursuivais en affirmant que nous voulions renverser ça. Être à l'avant. Que c'était une question d'équité et de justice. Et c'est à ce moment que Marie-Jeanne en mettait un peu trop en citant Céline Dion (j'aurais personnellement coupé ce passage au montage) : « Comme le chantait notre plus grande artiste nationale : "les derniers seront les premiers dans l'autre réalité." Pour nous, l'autre réalité, c'est maintenant. C'est avec l'édition 2 de *M'as-tu vu ?* que ça commence. » Ensuite, nous dressions l'historique de notre nouvelle école qui, elle, nous a accueillies les bras grands ouverts. Notre honnêteté a fait son effet et le collège Marie-de-la-plus-Haute-Espérance est tombé dans l'œil des juges de *Cool comme tout !*.

Il est vrai que le collège nous a agréablement accueillies. Tellement que Marie-Jeanne et moi, nous avons l'impression de recommencer notre vie d'adolescentes.

Le premier jour du retour en classe, le 7 janvier dernier, nous avons été reçues comme des filles *cool.* Nos visages étaient connus. Plusieurs avaient écouté religieusement la première édition de *M'as-tu vu ?*. J'ai spécialement été accueillie avec déférence et enthousiasme. « *Wow*, c'est toi la fille qui as cloué le bec de ton prof de français bègue ?! » « Ton exposé oral sur la pièce de Michel Tremblay a été mon moment préféré de la saison. » « Ça faisait vraiment du bien de voir une fille articulée comme toi dans cette école-là ! » « Merde ! On a une vedette dans notre collège privé, c'est trop géant ! » Que de commentaires grisants ! Disons que mon intégration s'est faite dans l'allégresse. Je ne pensais jamais connaître ça de mon vivant.

Pour ma meilleure amie et moi, notre seconde participation à cette téléréalité est une façon de nous venger, oui, mais aussi, pourquoi pas, de mousser un peu plus notre popularité. De surfer sur l'euphorie qu'on a créée en janvier. Mais au fond, je ne désire qu'une chose : détrôner Pierre-Jean-Jacques et hériter de la couronne symbolique que porte Magali-pas-de-E depuis le soir de la grande finale qui l'a sacrée gagnante, en novembre dernier.

J'aimerais bien marquer à jamais ce formidable collège privé et gaver de livres sa bibliothèque déjà bien fournie ! Car le prix de cette année demeure identique à celui de l'automne dernier : rebaptiser la bibliothèque au nom de l'élève ayant représenté l'école et en bonifier la quantité de livres.

Je le vois bien sur une marquise. Et naturellement, dans cette biblio revampée, on trouverait enfin les deux romans de David Grégoire, mon père (Pierre-Jean-Jacques n'a jamais daigné se procurer les livres de mon paternel !).

Enfin, l'heure de ma vengeance a sonné, et elle sonne juste ! Mouhahahahaha !

Je suis embêtée, cela dit. Car Maxime ignore mon entreprise. J'ai tout fait ça dans le dos de mon chum. Il a toujours été farouchement contre les téléréalités. Particulièrement *M'as-tu vu ?*. Je ne veux pas le décevoir. Je ne lui ai donc rien dit de mes projets d'inscrire ma nouvelle école à la compétition. Si elle n'était pas retenue, ça réglait mon problème. Maintenant qu'elle l'est, je me dois d'avoir une discussion avec lui. J'ai un peu peur de chuter dans son estime.

Comment on annonce à son chum qu'on s'apprête à participer à l'émission qu'il méprise le plus au monde ? Je l'ignore. Je repousse constamment cette discussion. Je vais devoir me donner un coup de pied au derrière et m'assumer. Je ne peux quand même pas le laisser l'apprendre par les autres élèves de Pierre-Jean-Jacques, qui regarderont à coup sûr la nouvelle édition. Il le saura, ça va de soi.

Je dois le lui dire. Mais pas aujourd'hui. J'ai à choisir avec monsieur Mignot les quatre autres représentants de notre collège. Parce que oui, c'est moi qui représenterai les secondaires 3. Comme c'est moi qui ai inscrit l'école, ça allait de soi. Par politesse et amitié, j'ai offert à Marie-Jeanne de lui laisser ma place, elle qui a certainement plus soif de célébrité que moi, mais elle l'a déclinée en me disant que j'étais mieux équipée pour faire gagner notre nouvelle école. C'est prétentieux à dire, mais je lui donne raison. Je me sens aguerrie comme jamais. Je suis gonflée à bloc. J'ai été soulagée que Marie-Jeanne me cède la lumière des projecteurs. Je lui ai promis que j'allais la lui laisser le plus souvent possible. Comme nous sommes toujours ensemble, ça ne l'inquiète pas trop. Et je ne m'en fais pas pour elle : si j'oublie de le faire, je sais qu'elle prendra sa place. Marie-Jeanne aime beaucoup trop les kodaks !

Avant que commence la nouvelle édition de *M'as-tu vu ?* (téléréalité qui causera assurément ma consécration), je me dois de faire les portraits des heureux élus qui représenteront les autres niveaux de mon école. Ceux qui, pendant quatre semaines, si tout va comme prévu, deviendront de réelles petites vedettes de la chaîne *Cool comme tout !*. Comme je risque de le devenir.

C'est reparti, mon kiki !

PORTRAIT DE FRANCESCA GALVEZ (SECONDAIRE 1)

Francesca est une fille qui me touche beaucoup. Elle est née en Colombie et est arrivée ici avec ses parents il y a cinq ans. Elle ne parlait pas un seul mot de français avant de mettre les pieds au Québec. Maintenant, elle le parle mieux que la plupart des élèves de Pierre-Jean-Jacques, mon ancienne polyvalente !

Il y a deux ans, en revenant de son école primaire (j'insiste sur le fait qu'elle était en 5e année seulement !), elle a trouvé sa mère pendue dans le garage. Oui, oui : pendue. Elle était attachée aux rails de la porte du garage avec la ceinture de son mari. Francesca m'a dit qu'elle avait immédiatement pensé à une piñata. Une piñata faite en papier mâché pastichant la forme de sa mère. Il y en a plein en Espagne et en Amérique du Sud, semble-t-il. De toutes les formes : des piñatas en forme d'âne, de lapin, d'étoile de mer, de cœur, toutes remplies de friandises (c'est ça, le principe d'une piñata : être garnie de bonbons). Là, Francesca s'était dit : « Mais quelle étrange piñata en forme de maman ! » C'était un genre de déni. Francesca était en état de choc et se refusait de voir la réalité qui lui pendait devant les yeux. Transformer le corps de sa mère vidé de vie en piñata, c'était un réflexe de protection. Un genre de folie nécessaire.

Les pieds nus de sa mère flottaient dans les airs. Elle portait une robe particulièrement colorée. C'était plus une robe de fête que de pendaison. Pendant un moment, Francesca a hésité en souriant. Était-ce une fête, aujourd'hui ? Où était le bâton ? Pouvait-elle frapper sur la piñata pour en faire jaillir les bonbons, comme le voulait la coutume ? C'était encore une question de déni, évidemment.

En s'approchant de la «piñata», Francesca a dû se rendre à l'évidence et affronter ce qui serait dorénavant son atroce réalité. Ce n'était donc pas un jeu. Elle a d'abord reconnu le bracelet de chanvre à la cheville de sa mère. Puis, le vernis orangé sur les orteils. C'était bel et bien sa mère. Fin du déni. On pourrait croire qu'elle a pleuré longuement, la tête sous les jupes de sa maman, comme une ampoule brûlée dans son abat-jour étouffant. Eh bien, non. Elle a pris une chaise, a libéré le cou de sa mère. La piñata est alors tombée au sol. Aucune friandise n'a jailli. Francesca a appelé les urgences. En attendant les secours, elle a tenté de souffler de la vie dans la gorge, les joues et les poumons de sa maman, en appliquant précautionneusement les consignes de la madame du 911. Mais en vain. Sa mère était morte. Et Francesca avait tout fait pour la sauver.

Cette histoire terrible, c'est elle-même qui me l'a racontée. Monsieur Mignot m'avait proposé Francesca pour représenter les secondaires 1 en parlant de sa force vive et de son aplomb face aux épreuves qu'elle avait rencontrées. Mais j'ignorais lesquelles. Je me suis informée auprès de la principale intéressée. Elle s'est livrée à moi simplement et m'a bouleversée. Je lui ai offert le rôle de leader des secondaires 1, ce qu'elle a accepté, à ma grande joie.

Si les téléspectateurs ne ressentent que le tiers des frissons que j'ai ressentis quand Francesca s'est ouvert le cœur à moi, le collège Marie-de-la-plus-Haute-Espérance ne manquera pas de tomber dans les chouchous du public. C'est un peu tordu, de voir ça comme ça, je pense. Non?

PORTRAIT DE DEBRA FARLEY (SECONDAIRE 2)

À 14 ans, Debra est une vraie polyglotte. Elle parle au moins six langues (le français, l'anglais, l'italien, l'espagnol, le catalan et l'allemand). Et même un peu l'esperanto, une langue à vocation universelle. Si elle a tout ce bagage linguistique, c'est qu'elle a voyagé un peu partout dans le monde : son père travaille pour le Consulat du Canada, ce qui l'amène à voyager aux quatre coins du globe.

À cause de son curieux prénom, tout le monde la surnomme *Des bras, des jambes.* Elle-même le fait. Elle a beaucoup d'humour et d'autodérision. Elle m'a d'ailleurs raconté une anecdote vraiment trop drôle. Cet automne, sa mère lui a acheté une nouvelle crème hydratante au concombre et cantaloup. Elle s'en appliquait toujours généreusement au sortir de la douche pour sentir bon. Surtout sur le cou. Sa peau n'absorbait pas la crème rapidement, mais Debra ne s'en faisait pas avec ça. Il y a toutes sortes de crèmes, qu'elle se disait. Une fille dans sa classe lui a dit trois jours d'affilée qu'elle sentait *trop* le savon. Elle était embêtée : depuis quand c'est une mauvaise chose de sentir le savon ?! On ne sent jamais *trop* le savon ! On sent propre ou pas propre, c'est tout… Le troisième jour où son amie lui a reproché de sentir *trop* le savon, il pleuvait. Debra est rentrée à pied chez elle. Quand elle est arrivée, elle a réalisé que son cou moussait. Il y avait plein de bulles partout sur sa nuque. Comme dans un bac à vaisselle rempli d'eau et de savon. Elle a eu un doute. Elle a couru à la salle de bains, a mis la main sur la bouteille de crème hydratante et elle y a lu, en tout petit : « Crème *nettoyante* pour le corps ». Quoi ?! Ha ha ha ha ha ! Depuis trois jours consécutifs, une fois le corps bien lavé et sec, elle s'enduisait généreusement de savon. Avec toutes ces croûtes de crème nettoyante, pas étonnant qu'on lui reprochait d'avoir une aura savonneuse !

Debra m'a promis qu'elle n'était pas aussi conne que son histoire pourrait le laisser croire : « Mais Cybèle, je t'assure que la bouteille de savon avait la forme d'une bouteille de crème hydratante ! » Je ne l'ai pas trouvée conne ; je l'ai trouvée drôle ! C'est tout à fait le genre d'histoire qui aurait pu arriver à Marie-Jeanne ou à moi ! Par cette méprise, je me sens proche d'elle.

Savoureuse anecdote mise à part, monsieur Mignot et moi, nous l'avons choisie parce que nous savons qu'elle montrera une image forte et divertissante de notre collège. L'image d'une fille ouverte sur le monde, intelligente et pleine d'esprit. C'est une valeur sûre. Et c'est un cas rare !

PORTRAIT DE TRISTAN MEUNIER (SECONDAIRE 4)

À 16 ans, Tristan est déjà un grand artiste. Outre la batterie qu'il pratique depuis qu'il est enfant (il a d'ailleurs toujours ses deux baguettes de *drum* avec lui, pour faire des percussions sur toutes les surfaces qu'il trouve), ses champs d'expertise sont surtout la photo et la vidéo. Il a grandi dans le domaine du cinéma, sur des plateaux de tournage. Sa mère est une actrice (peu connue, mais très belle) et son père réalise des pubs télé (pour une marque de cellulaire, entre autres). Très tôt dans sa vie, il a développé son regard artistique et l'agilité de ses belles grandes mains. (Quand il manipule ses baguettes de *drum* ou sa caméra, je ne vois que ça... Disons que ses mains sont captivantes !)

Il a reçu son premier appareil-photo à 8 ans et sa première caméra à 13 ans. Ouin, je comprends peu à peu à quel point les élèves du collège privé ont plus de moyens que ceux de l'école publique. Moi, à 13 ans, je recevais deux ou trois livres, tout au plus. Pas une caméra vidéo et une seconde batterie !

Tristan est le voisin et l'ami proche de ma nouvelle amie, Flavie Ross. C'est elle qui m'a montré son travail. Il est vraiment doué. Il a un petit quelque chose de l'esthétique de Xavier Dolan, avec ses images soignées et étudiées. Je crois que c'est un atout de taille dans mon écurie *M'as-tu vu ?*. On a toujours besoin d'un petit génie !

Et en plus, il est pas mal photogénique. Je serais mal venue de donner du crédit à ça, après le sort qu'on m'a réservé par le passé, mais beau comme il est, ça ne va pas nous nuire trop, trop… Tristan Meunier est d'ailleurs le seul individu au monde qui peut porter avec style et *sexyness* un chandail en coton ouaté à l'effigie d'un loup hurlant à la lune.

C'est pas rien.

PORTRAIT DE OLIVIER ROCHON-BOUSQUET (SECONDAIRE 5)

Olivier, 17 ans, est un ancien scout ouvertement homosexuel. Il est heureux d'être canadien plutôt qu'américain, car, comme il me l'a expliqué, aux États-Unis, les scouts viennent à peine d'abroger le règlement interdisant les jeunes gais dans leurs rangs. Jusqu'à tout récemment, les homosexuels étaient encore bannis de l'organisation ! Chez Scouts Canada, les choses ont été plus rapides et moins homophobes. Depuis 2001, selon Olivier, l'organisme a une politique de non-discrimination, incluant l'orientation sexuelle. Les Américains sont donc en retard de plus d'une décennie, rien de moins ! Pour pasticher ma mère, j'ai envie de crier : « Bravo, Scouts Canada ! Pas bravo, Scouts États-Unis ! » Mais bon, vaut mieux tard que jamais, dirait mon père, plus posé.

Les cheveux d'Olivier changent de couleur chaque mois. Jusqu'à présent, il a eu la chevelure verte pour le mois de janvier et bleue pour le mois de février. Il compte aller à son bal de finissants la chevelure rose, et accompagné de Damian, son amoureux, un fleuriste de 22 ans très masculin (oui, c'est possible !). Ils se sont rencontrés sur un site de rencontres, un peu comme Patricia et son veuf plein aux as.

Olivier est un garçon coloré et inspirant. Il est très impliqué sur le plan social. Il fait occasionnellement du bénévolat auprès de l'accueil Bonneau (hébergement pour les personnes vivant en situation d'itinérance), de la Maison d'Hérelle (hébergement adapté aux besoins des personnes vivant avec le VIH/sida) et même de la Maison grise (hébergement pour les femmes violentées ou en difficulté). Et ce n'est pas tout : à l'école, il a mis sur pied un regroupement LGBT (lesbiennes, gais, bisexuels et transgenres), une coalition pour élèves non-hétérosexuels. Statistiquement parlant, il doit y en avoir beaucoup (on parle d'au minimum une personne sur 10, si je ne m'abuse…). Dans une école de 750 jeunes, on pourrait espérer 75 élèves regroupés dans le local (même si je doute qu'ils puissent y entrer, car ce n'est pas très spacieux). Malheureusement pour Olivier, tous n'ont pas sa force de caractère et son courage. Olivier Rochon-Bousquet est le seul véritable membre de son regroupement. Il y a bien Katy Dumont-Frappier, une autre finissante de notre collège, qui se dit occasionnellement bisexuelle, selon ses humeurs. Mais à deux, ça ne fait pas une coalition très imposante. Alors Olivier a pris l'initiative d'ouvrir son regroupement aux « amis » des non-hétérosexuels. Sur la porte du local, on peut lire « LGBT et amis ». Et c'est fabuleux : il y a toujours du monde avec Olivier, sur l'heure du dîner. Ce sont surtout des filles, mais de temps à autre, des gars hétéros viennent faire leur tour dans le local. Ce n'est pas à Pierre-Jean-Jacques que ça aurait été possible !

Bravo Marie-de-la-plus-Haute-Espérance ! Bravo d'être aussi ouverte sur le monde ! Par son impressionnante implication sociale, Olivier Rochon-Bousquet sera à coup sûr un aide-ambassadeur de choix.

PORTRAIT DE CYBÈLE CAMPEAU-GRÉGOIRE (SECONDAIRE 3)

Puisque c'est moi (secondée et supportée par Marie-Jeanne) qui ai inscrit mon collège privé, il va de soi que je me retrouve parmi les cinq élus. C'est dans les règlements de la téléréalité.

Que dire de moi?

Hum.

Hum.

Je m'appelle Cybèle.

…

Et je ne suis pas si belle que ça.

…

Je ne suis pas grande. Je suis rousse. J'ai un toupet que mon père n'aime pas. Ça fait plus d'un an que mes parents sont divorcés. Depuis janvier, je passe la semaine chez mon père et ma belle-mère Marie-Annick (leur maison est collée sur mon collège), et les week-ends chez ma mère (dans la même ville).

Je suis forte en français et à l'école en général. Je ne parle que le français (et je baragouine l'anglais). Je ne fais pas de bénévolat. Je suis hétérosexuelle. Mon chum Maxime est adorable. Ma meilleure amie, Marie-Jeanne, est très drôle. Flavie Ross, ma nouvelle amie, l'est aussi. Je suis une fille de mieux en mieux entourée. C'est pas mal ça.

Bon. Je n'ai pas grand-chose à dire de pertinent, on dirait.

Je crois toutefois que je serai une bonne candidate, mais il est très possible que je ne sois pas suffisamment passionnante et divertissante pour les téléspectateurs québécois. Grâce au vote hebdomadaire (et au retranchement successif des écoles), je saurai bien assez vite si je suis aimée ou non.

J'ai réussi à me démarquer quand on m'a plongée dans l'ombre. Maintenant qu'on me laisse la lumière, vais-je réussir à conserver cette place, ou est-ce que je serai de nouveau confinée à l'arrière-scène?

À moi de faire mes preuves.

C'est mon tour.

*

La semaine de relâche s'achève. Lundi, l'équipe de *M'as-tu vu ?* est débarquée chez ma mère pour faire mon portrait filmé et me photographier. J'ai tenté d'avoir l'air cool. Je pense que j'ai été moyenne. Heureusement que Marie-Jeanne était avec moi, et ma mère aussi. Une maquilleuse était sur place pour nous agrémenter le portrait. Ils ont réussi à me rendre potable. Enfin, je crois. Je le saurai bien assez tôt !

Ce portrait, ainsi que ceux des quatre élèves représentant les autres écoles en compétition, sera diffusé lundi soir, jour 1 de la compétition. En gros, le fonctionnement ressemblera à la dernière édition, mais avec plus de budget. Le succès du premier *M'as-tu vu ?* a renfloué les coffres de *Cool comme tout !*. Semble-t-il que les demandes d'abonnement à cette chaîne privée ont explosé dans le temps des fêtes !

Cette année, toutefois, le vote du public ne se fera plus exclusivement par téléphone. On ajoute la possibilité de voter par internet ! On a le droit de voter une fois par numéro de téléphone et une fois par adresse courriel, mais seulement une fois par jour chacun, question de ne pas ambitionner. Autre changement de taille (et pas à peu près, celui-là) : chaque semaine, nous saurons en direct, lors d'un gala, quelle école aura été évincée. Oui, oui. Un gala du samedi soir enregistré à Montréal, dans un énorme studio ! Comme *Star Académie* ou *La Voix* ! Ils ont mis ça le samedi plutôt que le dimanche, car le lendemain, c'est jour scolaire, et certaines écoles sont loin de la métropole. C'est très *big*, je pense. Mais je ne me laisse pas impressionner. Je persiste à trouver ça ridicule. Un peu…

Le tout durera un mois. Ça commence le lundi 18 mars et ça se conclura le samedi 13 avril, pour les deux écoles finalistes, du moins. Cela dit, contrairement à l'automne passé, ils ne filmeront plus les vendredis. Il n'y aura donc que quatre jours de captation vidéo par semaine à l'école. Le programme hebdomadaire ressemble à ceci : les lundis soir, à 19 heures, ils nous présenteront les coulisses du gala du samedi, avec des entrevues inédites et des *tout ce que vous n'avez pas vu à la télé*. Les mardis soir, le montage du matériel filmé la veille dans les écoles toujours dans la course. Les mercredis soir, le matériel du mardi. Les jeudis soir, celui du mercredi. Et les vendredis soir, celui du jeudi. Simple comme bonjour. Et les samedis soir, pendant deux heures plutôt qu'une, nous aurons droit à un gros événement en direct avec des performances sur scène ! Je dois avouer que c'est un peu beaucoup énormément excitant ! Cette édition risque d'être de grande qualité ! Au fond, je devrais me réjouir. Magali-pas-de-E aura été la reine calcinée (parce que *over* bronzée !) d'une édition boboche. Moi, je serai la petite fée rousse d'une édition béton !

Le jour où j'ai appris que mon collège avait été retenu, j'ai confié à ma mère que l'aventure de la téléréalité allait reprendre pour moi. Notre film-candidature,

Marie-Jeanne et moi l'avons fait à l'insu de mes parents. Seuls Patricia et Richard le savaient, car ils nous ont aidées. Je devais avertir ma famille. Je n'avais pas d'autre choix. Ma mère, Jolène, l'a plutôt bien pris. Elle a compris que c'était une forme de vengeance saine de ma part. *Une revanche*, qu'elle a dit. Il n'y a pas de mal là. Elle s'est un peu trop ouverte à moi en me disant que souvent, la nuit, elle rêve qu'elle se venge de la nouvelle amoureuse de mon père en lui lançant une ruche en plein visage (elle a appris que Marie-Annick était allergique aux piqûres d'abeilles et selon moi, ça a nourri ses fantasmes cruels). Comme se sont de simples rêves, elle trouve que c'est plutôt sain. Moi, je trouve que ma mère est plutôt épeurante.

Le lendemain, j'ai aussi dû annoncer ma participation à mon père et à Marie-Annick. Ça a été plus dur. Il a été déçu de moi, je pense. Il a dit que j'étais *imprévisible*. Qu'après ce que j'avais vécu l'automne dernier, j'étais bizarre de vouloir replonger dans cet univers malsain. Que s'il m'avait inscrite dans un collège privé si bien coté et si dispendieux, ce n'était pas pour que je participe à ce genre d'activité parascolaire totalement inutile. Je lui ai servi les mêmes arguments que j'avais lancés fièrement à monsieur Mignot, mais mon père a moins bien accroché. Il m'a trouvée *habile avec la rhétorique*, mais il ne m'a pas donné raison. Néanmoins, parce qu'il m'aime, il m'a dit qu'il allait respecter mon choix. Mais qu'il n'allait pas l'encourager. Pendant toute la discussion, Marie-Annick n'a pas dit un mot. Je ne sais pas si c'est parce qu'elle souffrait d'une extinction de voix (ce qui lui arrive souvent) ou si c'est parce qu'elle n'avait rien à dire. Elle ne m'a fait que des sourires désolés.

Ce soir, vendredi, c'est au tour de mon chum. Je dois régler ça avec lui. Lui annoncer ma démarche. C'est aujourd'hui que ça se passe. J'ai le sentiment que Maxime aura la même réaction que mon père. Il risque lui aussi de me trouver imprévisible.

Je suis peut-être dure à suivre, au fond?

*

Maxime a vu ma grosse face rousse sur un panneau-réclame cet après-midi. Ma face, mais aussi celle de quatre autres ados. Cinq portraits scolaires côte à côte, en bordure d'une autoroute en direction de Montréal, avec un énorme slogan:

« Vous allez nous voir bientôt! »

Rien d'autre. Très intrigant. En tout cas, Maxime, lui, a été hautement intrigué.

– Quelqu'un utilise ta photo, Cybèle. C'est criminel! On peut pas utiliser ta photo à des fins promotionnelles si t'as rien signé. Et on sait même pas c'est une promo de quoi, en plus!

J'ai signé, naturellement. Ma mère aussi. Nous autorisons *Cool comme tout!* à ce que ma face circule un peu. Mais je ne pensais pas me retrouver en bordure d'autoroute. Des plans pour que mes taches de rousseur éblouissent les conducteurs et provoquent des accidents !

Je dois déballer mon sac et recevoir le jugement de mon chum. Je lui dis tout : l'inscription en cachette, la discussion avec mon directeur, la candidature retenue, le topo tourné lundi en compagnie de Marie-Jeanne. Je déverse les nouvelles d'un trait, comme quand je tire d'un coup sec un pansement.

– Tu allais me l'apprendre quand, au juste ?
– Ce soir. Je venais chez toi surtout pour te dire ça.
– Hum. D'accord.
– Tu me crois ?
– Oui.
– T'es déçu de moi ?
– Déçu de toi ? Non. Pourquoi je le serais ? Si c'est ce qui fait ton bonheur, moi je suis avec toi.

Euh, c'est quoi, ça ? Des encouragements ? J'ai officiellement le chum le plus compréhensif au monde ! Je m'attendais à tout, ou presque, sauf à ça. À ce qu'il rompe ? Oh. Ça, non. Mais je m'attendais vraiment à le décevoir. Or, il n'est pas déçu. Il y trouve même du positif.

– Si c'est pas une question de vengeance mais de dépassement, je trouve que c'est même une bonne idée. Te prouver que tu mérites cette place-là.

Naturellement, j'évite de lui dire que je suis essentiellement mue par un désir de vengeance. Je peux garder ça pour moi.

– Antonin est au salon?
– Oui, comme toujours. Il se tape un autre DVD de ses grosses peluches extraterrestres préférées.
– Encore? que je demande amusée.
– Je suis plus capable de les voir. La nuit, je rêve que j'assassine ses Télétubbies, comme dans un jeu vidéo. Ça m'obsède, presque. J'aurais envie d'écrabouiller tous ses précieux DVD.
– Fais pas ça!
– C'est un fantasme, Cybèle. Jamais je ferais ça. Ce serait la pire crise de l'humanité!

Je me rends au salon pour voir le petit frère de mon chum. Je suis certaine que c'est le plus beau garçon trisomique de 10 ans au monde. Il regarde religieusement ses Télétubbies. Il est en position de recueillement devant la télé. Le portrait est touchant. Je vais l'embrasser. J'aime ce que je suscite chez cet enfant adorable, débordant d'amour. Il se met à me jouer dans les cheveux.

– Cybèle, t'es belle!

Ça lui a pris un mois avant de cesser de m'appeler Cassandre, le nom de l'ex de son père. Puisque, depuis l'automne dernier, je le vois au moins une fois par semaine, souvent deux, Antonin me reconnaît et m'appelle maintenant par mon prénom.

– Tu me trouves belle pour vrai, Antonin ?
– Hum.
– Tu dis pas ça juste pour être gentil ?
– Hum.
– Tu me trouves plus belle ou moins belle que Po, la Télétubby rouquine comme moi ?
– Moins belle.
– Je le savais !

Je ris en le serrant contre moi. Antonin est la seule personne au monde qui peut m'insulter sans que ça me blesse. De toute façon, je comprends que c'est dur de rivaliser avec une grosse peluche rouge dans le cœur d'un enfant exceptionnel comme Antonin.

Antonin et moi, nous regardons, bien serrés l'un contre l'autre, Po danser avec ses amis. Il y a Tinky Winky, le chef de la bande. Il est le plus grand, il est hyper affectueux et il porte toujours son beau sac à main. Son pelage est violet et son antenne est un triangle inversé. Je me rappelle qu'enfant, j'entendais souvent qu'on le taxait d'homosexualité, à cause de sa couleur, de sa douceur et de son sac à main rouge. Moi, avec le recul et mes 15 ans, je trouve ça beau de voir un leader aussi doux et efféminé ! Il y a aussi Dipsy, plus petit et bronzé que Tinky Winky. Bien que mœlleux, c'est le plus viril du lot. Il est vert et son antenne est droite. Finalement, il y a Laa-Laa, la plus grande des deux filles. Elle est jaune et son antenne est en forme de boucle. Les Télétubbies n'ont plus de secret pour moi depuis qu'Antonin est entré dans ma vie. Ou plutôt, depuis que je suis entrée dans la vie de son grand frère.

Po, elle, la préférée d'Antonin, a une antenne ronde. Maxime trouve que ça ressemble à une goupille de grenade. Il dit parfois à la blague que pour détruire ces extraterrestres absurdes et aliénants, il n'aurait qu'à arracher l'antenne de Po, et tout ce beau monde féerique exploserait. Je le trouve morbide quand il dit ça, mais je le comprends. Ce n'est pas moi qui vis à temps plein avec un enfant trisomique. Si les Télétubbies jouaient en boucle dans mon salon, il y a de fortes chances que j'aurais moi aussi le fantasme de les pulvériser en jetant une bombe dans leur monde couleur pastel.

Maxime vient me chuchoter un secret dans l'oreille.

– Moi, je te trouve mille fois plus belle que Po !
– Ah, t'es fin. Mais qu'est-ce que j'ai de plus qu'elle ?
– Hum… Tes cheveux sont plus naturels. Je suspecte Po de se teindre la doudoune en rouge pétant, pour se faire remarquer. Je préfère ta subtilité.
– C'est vrai que t'aimes pas les gens tape-à-l'œil, toi ! Pis c'est tout ? Rien d'autre de plus qu'elle ?
– Je te trouve aussi plus articulée qu'elle. On dirait que tu as plus de choses pertinentes à dire.
– T'es sûr ?

Nous regardons Po à l'écran qui, à court de mots, applaudit stupidement son ami Tinky Winky, appliqué à manger un gros biscuit.

– Non, je suis pas sûr. Elle est meilleure que toi, je pense.
– Il me semblait aussi.

On s'embrasse sans que ça perturbe Antonin. Il n'y a pas de jalousie dans la cabane : Maxime est amoureux de moi, et lui de Po. Tout le monde est heureux. Moi la première.

Je rentre chez moi vers 9 heures du soir. Oui, je suis heureuse, mais c'est comme si je vivais perpétuellement avec le stress de me planter. Ce serait très possible, après tout. Car dans neuf jours, ma vie va prendre un tournant. Je vais être plongée dans la lumière. Je n'ai pas été habituée à ça dans ma vie.

Et si je me trompais ? Si je n'avais rien à dire ? Rien de plus qu'une autre ? Rien de plus que Magali-pas-de-E ? Rien de plus que Po ?

Et si j'étais aussi vide qu'une mascotte d'extraterrestre rouge, accrochée sur un cintre ?

Bon. Que de questions ! Je me prépare mentalement à faire de l'insomnie pour la dernière semaine avant le début de la nouvelle saison de la téléréalité. C'est inévitable. Je vais être belle pour mon premier jour sous les projecteurs : cernée jusqu'au menton !

SEMAINE 1
JOUR 1

Ça commence pour de vrai.

Le soleil irradie. La neige, en ce 18 mars, brille comme si elle était faite de cristal. Je viens à l'école à pied. Marie-Jeanne, qui vit maintenant chez Richard-sirop-pour-la-toux-grasse Tougas, à deux pâtés de maison de chez mon père, est venue me rejoindre pour que l'équipe de tournage filme son arrivée autant que la mienne. Elle veut prendre de ma lumière. Je lui en laisse, naturellement. C'est même rassurant de ne pas être seule, ce matin.

Il fait terriblement froid, mais je porte quand même une jupe. L'uniforme standard des filles de notre collège offre deux options : jupe plissée à carreaux ou pantalon indigo. 60 % des filles s'acharnent à continuer de porter la jupe écossaise en période de grand froid, alors que le 40 % restant évite de souffrir et de contracter des rhumes carabinés en se camouflant les jambes dans le pantalon peu *sexy*. En temps normal, j'aurais penché en faveur du pantalon. Mais ce matin, non. Je tente une entrée fracassante. En plus, Maxime ne cesse de dire que mes jambes sont jolies ! Je l'écoute et les mets en valeur, malgré le grand froid qui les mord de partout.

Mon lourd manteau d'hiver est bien zippé, lui. Je ne suis quand même pas une Magali-pas-de-E cintrée dans un manteau de printemps en plein cœur d'un hiver interminable !

Marie-Jeanne aussi porte la jupe. Elle la remonte un peu trop haut sur la cuisse. Mais elle est plus en chair que moi, alors j'imagine qu'elle sent moins le froid. La graisse peut-elle faire office de laine minérale et isoler du froid ?

– T'es nerveuse, Cyb ?

Depuis que nous sommes arrivées dans cette école, Marie-Jeanne a commencé à me surnommer Cyb. Le diminutif me fait rire. Je la laisse faire. C'est comme si c'était une façon pour elle de faire comprendre aux autres que nous sommes proches. Que nous avons un passé ensemble.

– Non, toi ?
– Non plus. Tu grelottes parce que t'as froid ?
– Oui, toi ?
– Moi aussi, me dit Marie en remontant bravement sa jupe, offrant à l'air glacial le bas de ses cuisses.

Nous nous mentons, naturellement. Nous savons très bien que le stress y est pour autant que la température, dans la succession de nos frissons. Le froid nous autorise à claquer des dents. Nous sommes deux filles de

15 ans en jupe écossaise terrorisées/excitées à l'idée d'avoir le *follow spot* sur nous !

Nous arrivons devant l'école. Pas de caméraman.

– Ils doivent être dans la cour arrière, propose mon amie, en faisant de la buée épaisse comme si elle fumait.

Nous contournons le collège et atterrissons dans le stationnement de Marie-de-la-plus-Haute-Espérance. Des élèves surexcités à perte de vue, mais toujours pas de caméraman. Pas de camion de l'équipe de *Cool comme tout !* non plus. Euh ? Mais où sont-ils ?

C'est l'entrée la moins fracassante de l'humanité. Je me suis gelé le cul pour rien.

*

L'équipe arrive finalement avec vingt minutes de retard. Un caméraman et son perchiste, tous deux rudement attrayants physiquement parlant, finissent par entrer au beau milieu de mon cours de français.

Je suis assise à l'avant à côté de Flavie Ross, une fille que j'adore. Si elle n'était pas en secondaire 3 comme moi, je l'aurais sélectionnée pour *M'as-tu vu ?* Elle est tout ce que j'aspire à être : drôle, belle, intelligente, affirmée, conscientisée, conséquente dans ses paroles et ses actions. Elle ne connaissait pas beaucoup *M'as-tu vu ?*, mais elle n'a rien contre. Elle trouve ça drôle. Tout la fait rire, en fait.

Dès mon premier jour à Marie-de-la-plus-Haute-Espérance, en janvier, elle m'a prise sous son aile. Elle m'a dit un truc comme : « C'est toi la fille qui as cloué le bec à ton prof de français parce qu'on t'avait cachée au fond de la classe ? » J'ai dit oui. Et elle m'a proposé d'être mon amie. Simple comme ça ! J'étais honorée qu'une telle fille m'adopte comme ça, spontanément, juste parce qu'elle était tombée sur un épisode de *M'as-tu vu ?* où, sans savoir quelle mouche m'avait piquée, j'avais décidé de m'affirmer haut et fort. « *Yes*, madame ! J'aime les gens qui ont du caractère ! » qu'elle avait ajouté.

Depuis, je crains de la décevoir, elle aussi. Je n'ai pas autant de caractère que ce que j'ai démontré dans l'extrait diffusé à la télé, l'automne dernier. Je suis de nature plus douce et effacée. Mais quand je suis avec Flavie, je fais toujours un effort pour être au sommet de ma forme : drôle, belle, intelligente, affirmée, conscientisée, conséquente dans mes paroles et mes actions. Je joue à être une meilleure version de moi chaque fois qu'elle est dans les parages. En fait, je tente d'être aussi *cool* que Flavie Ross. C'est un peu épuisant, être avec elle, mais c'est très valorisant. Cette fille est la reine du *networking* ! C'est elle qui se définit ainsi. Elle a lu des livres sur le sujet et elle a compris que c'était le *networking* son plus grand talent. Le *networking*, ça ne me disait rien avant que Flavie débarque dans ma vie avec ses beaux gros sabots. Pendant des semaines, je faisais oui de la tête quand elle lançait le mot, sans savoir de quoi il s'agissait précisément. J'avais une idée vague de ce que ça pouvait être. Récemment, elle a défini le mot pour Marie-Jeanne qui, plus honnête que moi, lui a demandé franchement ce qu'était le *networking*. J'ai été tout ouïe et ça a confirmé mon pressentiment. Le *networking*, c'est du réseautage. C'est l'art de se constituer un réseau de relations et de savoir en tirer parti. C'est surtout professionnel, mais ça peut aussi être amoureux (comme Patricia et Richard-sirop-pour-la-toux-grasse Tougas, ou encore Olivier et son viril fleuriste qui se sont tous rencontrés grâce à des sites de rencontres sur le web !). En d'autres termes, c'est avoir des plogues. Et des plogues, cette fille en a plein. Elle a des contacts partout, elle parle à tout le monde, elle a beaucoup d'entregent. Flavie Ross connaît tout le monde et tout le monde connaît Flavie Ross. D'ailleurs, c'est elle qui m'a présentée à tous les candidats retenus : Francesca Galvez, Debra Farley, Tristan Meunier et Olivier Rochon-Bousquet.

Comme dans notre ancienne école, Marie-Jeanne est assise au fond de la classe. Mais pas pour des raisons esthétiques. Juste parce que le hasard en a décidé ainsi. Moi, le hasard m'a placée à l'avant, aux côtés de la passionnante Flavie Ross.

En tout et pour tout, huit élèves de l'école (ou leurs parents) ont refusé d'être capturés par la caméra. On les a remisés au fond de leur classe, comme à

Pierre-Jean-Jacques. Ils sont éloignés du professeur de leur plein gré. En secondaire 3, il n'y a que Milanie François (oui, avec un i), qui a refusé de signer le contrat de *M'as-tu vu?*. Milanie est dans plusieurs de mes cours. Elle s'assoit avec Marie-Jeanne. Je plains un peu mon amie : Milanie François a l'air aussi excitante et énergique qu'une mononucléose !

Pauvre Marie-Jeanne…

Notre prof de français, Jocelyne Loiseau, ne se laisse pas impressionner par la caméra. Elle était distante et rigide avant le 18 mars (période pré-téléréalité), elle l'est encore aujourd'hui. Elle ne change rien à son plan de cours, ni à son ton de voix soporifique ! C'est une femme qui est au seuil de la retraite depuis des décennies. Elle doit avoir près de 65 ans, mais on lui en donnerait vingt de plus. Elle n'a pas de lèvres. Sa bouche, c'est juste une incision au scalpel dans son menton. Ça la rend très sèche et ça lui enlève beaucoup de sensualité ! Peut-être même toute, d'ailleurs !

Elle nous fait lire *Vipère au poing* d'Hervé Bazin, un auteur français. Ça raconte le cri de haine de Jean Rezeau, jeune garçon appelé Brasse-Bouillon, contre son odieuse mère surnommée Folcoche. La mère, sèche comme un abricot ratatiné, est un personnage détestable. C'est pour ça, je crois, que Flavie a choisi de surnommer dans son dos la déplumée Jocelyne Loiseau *Folcoche.*

Quand elle chuchote ce nom-là, Flavie obtient systématiquement un fou rire de moi.

*

Pendant l'heure du midi, dans le petit local « LGBT et amis », je me réunis avec les élus pour réfléchir à ce que nous pourrions préparer pour le gala de samedi prochain. Car oui, chaque samedi, les écoles sont invitées à épater la galerie pour faire en sorte que les téléspectateurs votent pour elles. Chaque école dispose de dix minutes, top chrono, pour charmer le public. La réunion d'aujourd'hui, c'est l'idée de Flavie. C'est une vraie rassembleuse pleine de *leadership*. C'est un peu gênant, car elle a plus le tour que moi.

Si on exclut le caméraman et le perchiste à l'affût de notre créativité, nous sommes sept dans le local : Francesca, Debra, Tristan, Olivier, Flavie, Marie-Jeanne et moi. Je me sens bien épaulée pour épater la galerie samedi.

– Je suis le bras droit de Cybèle, moi ! clame Flavie pour justifier sa présence au sein de notre cercle très sélect.
– Pis moi, son bras gauche ! plaisante Marie.
– *Brainstormons !* décrète Flavie.

C'est le temps de lancer des idées. Marie-Jeanne se dévoue pour jouer la secrétaire. Elle notera tout.

Mais rien ne vient. Personne ne veut se mouiller et risquer de lancer une idée stupide sous l'œil de la caméra. Ça freine un peu notre remue-méninges, mettons. Tout le monde se censure et se tait, en se regardant dans le blanc des yeux, un sourire gêné aux lèvres.

Puis, Flavie se lance.

– Je brise la glace : tentons de trouver quelque chose de différent ! Du peu que j'ai vu, l'automne passé, tout se ressemblait… Évitons de tomber dans le racolage. Pas de chorégraphie, pas de *lip dub cheap*. Évitons le fla-fla.
– OK, *cool*, dit Debra.
– Essayons d'avoir du contenu ! poursuit Flavie.
– On veut tous ça, j'imagine, dit Olivier.
– On a la chance d'être une équipe intelligente et créative. Parmi nous, on a Tristan. Tristan, c'est un vrai petit génie de l'image, de la musique et du rythme.
– Euh, c'est gentil… Ce serait quoi, ton idée ? dit Tristan en stoppant son tambourinement perpétuel de baguette de *drum* sur ses cuisses.
– Pourquoi on ferait pas un documentaire ? propose-t-elle.
– Un documentaire ? Sur quoi ? demande-t-il.
– Sur quelque chose qui nous importe, qui nous touche.
– L'adolescence ? que Marie-Jeanne demande.
– Non, quelque chose de plus précis.
– T'as une idée en tête, toi ? que je lui demande enfin.
– *Yes*, madame ! fait Flavie, fidèle à son langage coloré.
– Ben, dis-la ! rigole Tristan, en faisant un rythme avec ses baguettes sur la table.

– C'est délicat. Peut-être trop. Francesca, tu m'arrêtes tout de suite si tu trouves ça déplacé ou trop douloureux, mais j'ai pensé… j'ai pensé qu'on pourrait faire un documentaire sur le suicide.

Petit silence. Francesca ne l'arrête pas. Elle ne s'effondre pas en larmes non plus. Elle écoute attentivement Flavie.

– On pourrait exposer le chagrin que le départ de quelqu'un qui s'enlève la vie crée chez ceux qui restent.
– C'est pas fou, mais ça a quand même souvent été fait, remarque Olivier.
– Tu trouves ?
– Oui, mais c'est un sujet vraiment pertinent. Peut-être qu'on pourrait partir de ça, du chagrin qu'a vécu et que vit toujours Francesca après le suicide de sa mère, pour aboutir à quelque chose de plus large. Interroger les jeunes d'ici, de l'école Marie-de-la-plus-Haute-Espérance. Leur position face au suicide. Y ont-ils déjà pensé ? Il me semble que le désarroi adolescent est pas mal plus important qu'il paraît l'être.
– Super *cool*, Olivier. Mais tu penses qu'ils vont s'ouvrir à nous ? Vont nous avouer avoir eu des pensées suicidaires, genre ? doute Flavie.
– Pourquoi pas ? Moi le premier, je serais prêt à me lancer. De parler de ma tentative, en secondaire 2, quand on me traitait de fif à tout bout de champ et que j'étais pas assez armé pour répliquer quoi que ce soit.

Oh. Olivier a déjà tenté de se suicider?! *Gosh!* C'est donc bien troublant, ça. Et il dit tout ça calmement, en présence de la caméra. Quel sang-froid!

– On te traitait de fif, ici?! demande Debra, qui, visiblement, trouve notre collège ouvert.
– Non, j'étais dans une autre école. Mes parents m'ont inscrit ici après ma tentative de suicide.

Quelle excellente décision. Je suis certaine que Marie-de-la-plus-Haute-Espérance a contribué à le rendre aussi fort qu'il l'est actuellement. Peut-être qu'elle pourra me rendre forte, moi aussi?

– Je pense que ça peut être très percutant, affirme Tristan. Et je pourrais mettre des archives de toi, tu penses? Genre: des trucs que tes parents ont filmés, à l'époque où tu feelais pas?
– Certainement. J'ai participé à un concours oratoire en secondaire 2. Mon père l'a filmé.
– Excellent. Et pensez-vous qu'on pourrait en trouver d'autres qui auraient le courage de parler de leur désespoir? questionne Tristan.
– Je connais une fille dans ta classe, Debra! s'exclame Flavie.
– Pour vrai?
– Oui, je pense que je pourrais la convaincre de se livrer à nous. Elle s'est confiée à moi en octobre dernier. Elle a eu une grosse peine d'amour et elle a eu des pensées suicidaires.
– Ayoye. Qui?

Flavie, par discrétion, lui murmure le nom à l'oreille. Tout le monde est intrigué, mais n'en demande pas plus.

– Ayoye, redit Debra. Je savais pas.
– Elle va vraiment mieux. Je vais l'approcher, si on embarque tous là-dedans. Marie-Jeanne, tu notes toutes nos idées? On dirait que tu te fais pas trop aller le crayon.
– Non, non, j'écris, j'écris, se défend mon amie, qui réanime le stylo dans sa main.
– En tout cas, je trouve que c'est un sujet super riche et important, dit Debra.

Tout le monde acquiesce. Je me contente de faire oui de la tête. Pourquoi je ne parle pas? J'ai l'air d'une cruche, c'est évident. Tous les gens autour de la table sont allumés, passionnés, créatifs. Ils bouillonnent d'idées, se relancent à chaque proposition. Mais moi: silence radio. J'ai réussi à placer une seule phrase. Je meuble mon silence en faisant des sourires niais. La caméra me fige totalement. Si elle n'était pas là, il me semble que je serais drôlement plus pertinente!

– Tu en penses quoi, toi, Francesca? demande finalement Flavie.
– Je pense que c'est une super bonne idée. Sincèrement. Il faut parler du suicide. Moi aussi, j'embarque.
– *Yes*, madame! crie Flavie. On va se faire un bouleversant documentaire!

Yes, madame, oui. C'est bon. C'est super bon. Mais aucune idée ne vient de moi. Dans mon autre école, je me sentais unique. Ici, on dirait que tout le monde l'est, unique. Je suis bien pâle, pour une étoile sur qui l'on braque tous les projecteurs.

– Tout ça te va, Cybèle ? demande Flavie.
– Ben oui, ben oui ! Tout ça me va.

*

Ce soir, comme c'est la première, il n'y aura pas de retour sur le gala du samedi (car il n'y a pas encore eu de gala !). Nous commencerons simplement avec les portraits réalisés par la production. On diffusera ce qu'on a filmé il y a deux semaines, en plein cœur de ma semaine de relâche.

Après avoir avalé une Réactine, je vais chez Marie-Jeanne pour regarder le premier épisode. Malgré la présence du chat du chum de sa mère (auquel je suis allergique… au chat, pas au chum de Patricia !), j'aime bien me retrouver chez elle. Il faut dire aussi que la maison de Richard-sirop-pour-la-toux-grasse Tougas est un vrai palace ! Tout ici respire la richesse : le mobilier, le carrelage, la hauteur des plafonds, la grandeur des fenêtres, le nombre infini de pièces. La chambre de Marie-Jeanne est un phénomène en soi. Les dimensions sont carrément exagérées. À vue de nez, je dirais que ça correspond au double de mes deux chambres mises ensemble (celle chez ma mère et celle chez mon père et

Marie-Annick). Je suis à la fois heureuse pour mon amie et un petit peu jalouse, j'avoue. Dans la grande pièce, son Justin Bieber grandeur nature en carton qu'elle a volé au Pharmaprix l'an passé a l'air un peu perdu. Mais heureusement, il n'est pas seul. Grâce à ses plogues dans les pharmacies, Richard-sirop-pour-la-toux-grasse Tougas a mis la main sur d'autres versions de Justin en carton pour décorer la chambre ultra-spacieuse de sa belle-fille. En tout, Marie-Jeanne a quatre Justin Bieber qui veillent sur elle la nuit. Un dans chaque coin de sa chambre. Personnellement, je trouve ça épeurant. Un Justin pour te veiller la nuit, c'est étrange, mais quatre, c'est terrifiant!

Richard est un bon monsieur. Un peu vieux et bedonnant, mais fort gentil. Il flatte constamment son gros chat, ventru comme lui, ou bien il caresse la nuque de sa blonde. C'est selon. Mais il est amoureux de Patricia pour de vrai, ça se voit. Et ça semble réciproque. Je doute qu'elle en veuille à son argent; Patricia a l'air si heureuse avec son gros veuf. Et même s'il a relativement peu de goût, Richard gâte beaucoup mon amie. La seule chose qui me déplaît vraiment chez lui, c'est sa voix. C'est comme si elle était fêlée. Que ses cordes vocales s'étaient fendues, ou qu'il y avait de la friture sur les ondes de sa voix. Richard-sirop-pour-la-toux-grasse Tougas parle avec une voix coincée entre deux postes de radio. Autant chez ma belle-mère, Marie-Annick, ça me charme, autant chez le beau-père de mon amie, ça m'irrite. Ça griche et ça agace mes pauvres tympans. Chaque fois qu'il ouvre la bouche pour passer des commentaires de mononcle gentil, j'ai envie de lui prendre une bouteille de son sirop pour la toux et de la lui faire boire de force en entier. Cordonnier mal chaussé, oui…

Heureusement, il est un homme de peu de mots. Patricia prend toute la place. Elle a beaucoup changé depuis l'automne passé. Non seulement elle a perdu du poids, mais elle a aussi pâli la couleur de ses cheveux. Et elle parle encore plus, et plus fort. C'est la fierté qui la rend si volubile et si bruyante. Sa plus grande réussite : être passée d'une cuisinette en mélamine tachée de soupe au chou rouge à une vaste cuisine en *stainless* et en marbre ! La vie est bonne pour mon amie et sa mère.

Mais ce qui me fait secrètement saliver, dans leur maison, c'est l'écran plat du salon. C'est un 85 pouces, que se vante Patricia. C'est immense. Ça ressemble à un écran de cinéma. L'idée de voir ma face sur une aussi grande surface en HD m'intimide et m'excite à la fois.

*

En attendant que l'émission commence, Marie-Jeanne se confie à moi. Depuis deux semaines, elle est amoureuse de l'éboueur qui ramasse les vidanges dans sa rue. Elle l'attend chaque lundi et jeudi matin, avant l'école. Il passe toujours à 7 h 10. Marie se réveille au son du gros camion à ordures. Elle court à sa fenêtre et admire la gestuelle à la fois féline et virile du plus jeune des deux éboueurs. Elle ignore son nom. Elle l'appelle le Mohawk, moins parce qu'il a une tête d'Amérindien que parce qu'il porte toujours une tuque des Blackhawks de Chicago. Mais aussi parce qu'un jour, Marie-Jeanne l'a vu s'éponger le front avec cette tuque rouge. Il aurait alors révélé une coiffure étrange évoquant, pour mon amie à tout le moins, un *mohawk* aplati. Selon elle, son Mohawk a une manière très sensuelle de jeter les sacs noirs dans la gueule du camion-benne. Ce serait près de la chorégraphie, son affaire. Elle va même jusqu'à dire qu'il danse avec les sacs, les fait valser, tanguer, virevolter. C'est à croire que son bassin a une souplesse émouvante !

– S'il a une crête iroquoise sur la tête, c'est peut-être juste un punk ? que je propose.
– Une crête iroquoise ?
– Un *mohawk*, si tu préfères.
– Toi, faudrait vraiment que t'arrêtes de t'inspirer de ton père. Tu vas me refiler plein de complexes. J'ai tellement un langage simple, moi.

Je suis un peu distraite ; je n'arrête pas de regarder l'heure. Je n'ai pas envie de manquer une seconde de la nouvelle saison de *M'as-tu vu ?*. Marie-Jeanne poursuit avec ses étranges observations.

– J'étais faite pour tomber amoureuse d'un vidangeur. C'est dans mes gênes.
– Comment ça ?

– Patricia a toujours eu des rapports troubles avec ses vidanges.
– Qu'est-ce que tu veux dire par « rapports troubles » ?
– Ben, elle a reçu deux amendes à cause de ça, dans sa vie. Elle utilisait pas de sacs noirs. Elle déposait directement ses déchets dans les poubelles des voisins.
– Pourquoi elle faisait ça ?
– Parce que ça coûte cher pour rien, des sacs. On paie pour mettre ça au bord du chemin !
– Comment elle s'est fait prendre ?
– On a retrouvé une de ses factures avec ses informations bancaires.
– Ayoye ! Y a des policiers qui ont vraiment du temps à perdre pour fouiller dans des vidanges !

Aujourd'hui, avec le gros salaire de Richard-sirop-pour-la-toux-grasse Tougas, Patricia peut s'acheter tous les sacs noirs du monde, si elle le veut !

– T'as vu l'heure, Marie ? Ça commence dans cinq minutes ! On devrait peut-être aller au salon ?
– Oh, Cybèle Campeau-Grégoire qui se meurt de regarder une téléréalité vide ! Comme les gens peuvent changer !
– Ben oui, ben oui. J'évolue !

Je cours au salon me caler dans un fauteuil ultra confortable, mais aux motifs plutôt horribles. Marie-Jeanne traîne derrière moi, le pas lent et amoureux. Elle pense certainement à son Mohawk d'éboueur. Le cinéma maison de son beau-père ne suscite plus chez elle le même entrain que les premiers mois. Elle doit être immunisée.

Moi, non. Je suis sur le bord de l'apoplexie. Étant donné les dimensions de l'écran, j'aurais le réflexe de manger du pop-corn, tant l'illusion de me retrouver dans une salle de cinéma est parfaite. Mais non, pas de pop-corn. Nous ne mangeons pas de *chips* et ne buvons pas de coke non plus. Même Marie semble avoir récemment mis une croix sur les Miss Vickie's. C'est assez déconcertant, ça. Marie-Jeanne et sa mère m'ont habituée à manger de délicieuses cochonneries devant la télé. Les *chips* et le coke de leur ancienne vie me manquent un peu. Ici, Patricia ne me sert que des crudités et de la trempette santé, faite maison par son riche amoureux.

L'épisode débute. Il s'agit du même humoriste-animateur que l'automne dernier, de la même musique originale endiablée. Je suis en terrain connu, mais je suis beaucoup plus excitée que la saison dernière. J'ai l'impression que ma vie commence pour vrai.

Voilà le résumé que je ferais des cinq portraits des écoles, tels que vus à la télé. D'emblée, je remarque que pour sa seconde édition, la production a choisi de rejoindre de nouvelles régions du Québec.

JUVÉNAT DES ÉTERNELLES PLEUREUSES
Dans le Bas-Saint-Laurent.
Juvénat fondé en 1944 par les Frères des Premières Amours.
Inscrit par KellyAnn Désilets-Cormier.

KellyAnn Désilets-Cormier, secondaire 4, est une fille toute menue, mais aussi chargée que son nom. Que de bling-bling autour de son cou et de ses poignets ! Des chaînes, des colliers, des pendentifs. Je la suspecte de peser 200 livres, dont la moitié en bijoux seulement ! Cent livres de *jewels* ! La modération a bien meilleur goût, fille.

Dans son topo, sa meilleure amie, Karianne Chenail, la suit partout. KellyAnn et Karianne. Héhé. On se croyait en plein duo NY, Fanny et Shany, les deux *fans* de Magali-pas-de-E, la reine de mon ancienne école. En même temps, pour leur prénom, ce n'est pas de leur faute. Je vais me montrer indulgente et voir ce que KellyAnn et son amie vont nous réserver.

Oups. J'ai parlé trop vite. Dans le portrait, on voit les filles se photographier avec leur cell devant un miroir en faisant des *duck face*. De vraies petites Magali en puissance. Eh, *boboy*. En principe, un Juvénat, ça se consacre à l'éducation d'élèves qui désirent œuvrer pour Dieu. C'est-à-dire devenir religieuses, saintes, curés ou pape. Mais le Juvénat des Éternelles Pleureuses a visiblement revu ses critères d'accueil. Avec la moue de canard des KellyAnn et Karianne, on est assez loin de la canonisation.

À la fin du clip, je me surprends à reprendre mon souffle. Pas surprenant : les filles sont la quintessence de l'hyperactivité. Elles parlent trop vite, elles rient à chaque deux mots, elles courent partout comme des poules décapitées. Leurs bijoux clinquants mènent un boucan insupportable. Du calme, pour l'amour ! Elles m'épuisent et m'étourdissent déjà, après un seul épisode ! Vite, transfusion intraveineuse de Ritalin pour les deux KANN, siouplaît.

COLLÈGE MARIE-LABERGE
À Québec.
Collège fondé en 2007 par Henriette Duval, probablement une *fan* de l'auteure issue de Québec.
Inscrit par Céleste Fournier.

Céleste, une rousse de secondaire 3 comme moi, tripe solide sur l'astrologie. Mon père a un mot parfait pour ce genre de personne : *éthérée.* Céleste est *éthérée.* Elle semble flotter plutôt que de marcher. En certaines circonstances, ce genre de personne pourrait être sympathique. Mais Céleste me semble n'être qu'une caricature aérienne. Sans surprise pour les téléspectateurs, elle révèle que l'astrologie qu'elle lit chaque matin dans les journaux s'applique à la perfection dans sa journée. Si la rubrique astrologique lui dit qu'en tant que Lion, elle est destinée à passer 24 heures à être malchanceuse en amour et efficace au travail, elle va s'arranger pour être malchanceuse en amour et efficace au travail. Une vraie championne, quoi !

Elle nous fait faire une visite guidée de sa chambre cosmique, où mille étoiles sont peintes sur des murs indigo. Allô l'intensité ! Elle dit qu'ainsi, elle dort en connexion avec le ciel. Je pense que ses parents n'auraient pas dû l'appeler Céleste. Ils l'ont destinée à se connecter aux choses célestes, en la déconnectant violemment des simples terriens.

Céleste termine le topo en révélant à la caméra, sur un ton de confidence ultra agaçant, qu'elle est du genre à avoir des mini-visions. Elle annonce fièrement que la nuit que sa grand-mère est décédée, elle s'est réveillée en sursaut en criant son nom. Je me demande si elle voit dans ses cartes et dans ses rêves qu'elle n'a aucune chance de gagner ?

ÉCOLE POLYVALENTE DU SOLEIL PLEIN LA TÊTE
Dans la région de Chaudière-Appalaches.
École fondée en 1971 par le Conseil d'éducation de Chaudière-Appalaches.
Inscrite par Taz Dufresne.

Comme le Taz de Tasmanie, Taz (j'ignore si c'est son vrai prénom, mais si oui, il faudrait brûler vifs ses parents !) est une vraie petite tornade aux cheveux hirsutes. À 17 ans, il fait de tout : du skate, de la planche à voile, du deltaplane... Du moment qu'il vit des émotions fortes, il semble heureux. Dès que je l'aperçois à l'écran, je crois qu'il porte d'étranges boucles d'oreilles blanches avant de réaliser qu'il s'agit de ses écouteurs, enroulés autour de ses oreilles, qui pendouillent en bas de ses lobes. Il est sans doute comme ça, Taz : cool. Du genre à ne pas se préoccuper de ça. À moins que ce soit un look savamment négligé ?

Lors du topo, il relève la manche de sa chemise à carreaux pour faire voir le tatouage sur son avant-bras. Il s'agit de la signature de son grand frère, Vincent Dufresne, décédé dans des circonstances un peu absurdes. Un jour, ce dernier est allé manger dans un *fast-food* avec ses amis. Ça a vite viré au drame. Le dîner était tellement calorique qu'il s'est senti emprisonné dans ses vêtements moulants. Après ses trois burgers, il a eu du mal à respirer. Il est sorti pour prendre l'air et s'est effondré sur le trottoir. Les secours sont intervenus, mais n'ont pas réussi à le réanimer. Taz raconte qu'une autopsie aurait révélé que – attention, ça va être très particulier ! – son grand frère de 31 ans est mort étouffé par ses propres vêtements ! C'est sérieux, je le jure ! Mort par asphyxie, genre. Il paraît qu'il hurlait que ses vêtements étaient en train de rétrécir. On aurait tenté de déchirer son tee-shirt à mains nues, mais il était de trop bonne qualité. Et trop serré pour sa taille.

Autant elle me fait rire, autant cette histoire me donne froid dans le dos. Je vais prendre soin de ne jamais mettre une camisole ou un jeans trop moulant. Mais surtout, je vais garder l'œil ouvert sur Marie-Jeanne. Après tout, c'est elle qui a tendance à porter des vêtements un peu trop serrés pour sa charpente et qui a la fâcheuse habitude de passer au travers d'un gros sac de *chips* quand elle regarde la télé.

Taz dénonce la marque de vêtements que son frère portait lors du ridicule drame. C'est Aérobeatnik, des vêtements conçus pour le plein air. « Pas pour manger de copieux burgers et des tonnes de frites noyées dans le sel et le ketchup ! » que la boîte de guenille moulante se serait défendue. Euh ? On peut bien manger ce qu'on veut dans la vie ! Non ? Depuis, et ce avec raison, Taz-le-*cool* est parti en croisade contre le fabriquant qui lui a enlevé son frère par suffocation textile. Il a écrit une lettre ouverte dans les journaux (comme le fait souvent mon père) et a récolté des milliers de signatures pour la pétition qu'il a lancée. Cette histoire a tellement fait couler d'encre qu'Aérobeatnik a finalement perdu la bataille et fermé boutique. Hon. Bebye les vêtements trop serrés. Vive les courbes qui respirent !

Taz a cherché une manière d'être physiquement habité par Vincent. Une façon de « porter » sur lui son frère décédé, comme un vêtement, mais en plus permanent. Il a pensé au tatouage de sa signature sur son avant-bras, ce que ses parents ont accepté (il n'est pas encore majeur). Je les comprends. Je trouve ça beau, comme geste.

S'il n'était pas mon compétiteur, ce Taz de Chaudière-Appalaches aurait mon vote.

Mais puisqu'il est mon rival, il ne l'aura pas ! Mouhahaha !

ÉCOLE SECONDAIRE IL ÉTAIT MILLE FOIS
À Montréal.
École fondée en 1985 par on ne sait pas qui.
Inscrite par Raphaël-Carl Gamache.

Raphaël-Carl, tout comme Taz, est en secondaire 5. Mais là s'arrête la comparaison. Car si Taz est la quintessence de la folie et de la joie de vivre, RC, comme on le surnomme dans le topo (ce qu'il ne semble pas apprécier, d'ailleurs, comme s'il se sentait débaptisé et affublé du même surnom que Royal Crown Cola ou Réseau Contact), est un summum de sérieux, de sagesse et d'ennui. Il faut le voir engoncé dans son complet trop grand et trop ambitieux pour lui, démontrant à quel point il se projette déjà dans une vie adulte, faite de responsabilités. C'est un vrai petit monsieur dans un corps d'adolescent. Sa cravate rayée brune et bourgogne n'a rien de récréatif. Ça le vieillit et ça le rend aussi attrayant qu'une conférence de presse sur l'exploitation des sables bitumineux ou des gaz de schiste.

D'ailleurs, dans son portrait (où il ne rit pas une seule fois et où aucun ami n'est présenté !), il alloue tout son temps à nous faire part de ses visions politiques mille fois entendues, dans un langage emprunté qui ne semble pas lui appartenir vraiment. Si jeune et avoir déjà une cassette. Sentir déjà le pilote automatique, le politiquement correct. Eh, *boy.* D'un ton monocorde, il nous parle de ses envies de se lancer sous peu en politique pour « améliorer le sort de ses concitoyens ». *Come on,* RC Cola ! Délousse un peu ta cravate et crache ta langue de bois. À citoyen impliqué égal, je préfère mille fois mon collègue d'école, le flamboyant Olivier Rochon-Bousquet à la chevelure mauve (ce mois-ci) !

Dernière chose pour le décrire, et c'est très révélateur : son père voulait l'appeler Raphaël et sa mère Carl. Ça a donné Raphaël-Carl Gamache. Et ça représente bien là toute sa personnalité. Voilà un gars qui semble être un futur politicien parfait. Un gars fait de compromis, parfaitement équilibré et parfaitement plate.

Le Québec veut de la folie et de l'authenticité. Pas de pâles copies de politiciens. Alors bebye, RC Cola !

COLLÈGE MARIE-DE-LA-PLUS-HAUTE-ESPÉRANCE
En Montérégie.
École privée fondée en 1975 par un réseau de parents inspirés.
Inscrite par… moi !
Eh *boy*.

Sur le gigantesque écran de Richard-sirop-pour-la-toux-grasse Tougas, on me voit exposer la situation. J'ai été dans une école qui m'a manqué de respect, soit celle qui a remporté la première édition de *M'as-tu vu ?*. J'explique que si j'inscris ma nouvelle école, c'est parce que je m'y sens bien, que je m'y sens chez moi. Et que j'ai envie de regagner ma dignité. C'est la formulation que j'ai choisie : *regagner ma dignité*. Ça fesse pas mal, je trouve.

Pour parler de moi (nous avions carte blanche), j'ai choisi de répondre au questionnaire de Proust, auteur français ayant colligé des questions a priori banales, mais qui en révèlent beaucoup sur nous, et qui nous aident à mieux nous cerner. C'est mon père qui m'a appris à « jouer » à ce questionnaire. Je devais avoir 10 ans la première fois qu'il m'a posé les questions de Proust. Par écrit, mon père et moi, chacun de notre côté, répondions le plus honnêtement du monde aux questions, avant de comparer nos réponses. Nous avons refait le questionnaire au moins une fois par année depuis, et c'était beau, il me semble, de voir comment nous évoluions tous les deux. Dans la présentation, donc, après une mise en contexte bien réussie, je remets la pile de cartons à Marie-Jeanne, qui joue à l'intervieweuse. Nous sommes face à face, comme dans un talk-show.

MARIE-JEANNE – Cybèle, quelle est ta vertu préférée ?
MOI – La loyauté. C'est très précieux pour moi.

MARIE-JEANNE – La qualité que tu préfères chez un homme ?
MOI – Il y en a plusieurs. J'en vois trois importantes : l'humour, la conscience sociale et l'optimisme.

MARIE-JEANNE – Celle que tu préfères chez une femme ?
MOI – Je suis pour l'égalité entre les sexes. Donc, je vais répéter les trois mêmes qualités : l'humour, la conscience sociale et l'optimisme.

MARIE-JEANNE – Qu'apprécies-tu le plus de tes amis ?
MOI – Je pourrais répondre « leur humour, leur conscience sociale ou leur optimisme », mais ce qui unit tous mes amis, c'est ceci : l'originalité. J'aime m'entourer

de gens uniques et authentiques. Les moutons imitant le troupeau, c'est pas pour moi.

MARIE-JEANNE – Quel est ton principal défaut?
MOI – Ma tendance à me déprécier trop facilement.

MARIE-JEANNE – Quel est ton rêve de bonheur?
MOI – Je prêche toujours pour l'égalité. Donc, vivre dans un monde égalitaire me rendrait pas pire heureuse, je pense.

MARIE-JEANNE – Dans quel pays aimerais-tu vivre?
MOI – Je n'ai pas encore suffisamment voyagé pour me prononcer. En fait, je dois avouer que je n'ai visité que les États-Unis. Je peux toutefois dire que je suis heureuse de vivre au Québec.

MARIE-JEANNE – Quelle couleur préfères-tu?
MOI – Il y a quelques mois, j'aurais dit rouge. À cause de mes cheveux, un peu, mais surtout parce que c'est une couleur qui me met en confiance. Depuis décembre dernier, ma couleur préférée, c'est le vert. C'est con à dire, mais mon chum, Maxime, a les yeux verts, et ç'a joué dans ce changement. Le vert est une couleur qui m'apaise, sans doute parce que je l'associe à mon chum, précisément. Et c'est drôle parce que toi, Marie-Jeanne, ma meilleure amie, la déesse des arts plastiques, tu m'as appris récemment que le rouge et le vert étaient pas juste les couleurs de Noël, ce sont surtout des couleurs complémentaires. Ma mère aussi me dit ça, depuis peu. J'aime l'idée. Que mes cheveux

rouges soient complémentaires avec les yeux de mon amoureux.

MARIE-JEANNE – Quelle fleur préfères-tu ?
MOI – Je suis une fille simple. J'aime pas les fleurs trop compliquées. Je dirais que les marguerites, c'est en masse beau pour moi.

MARIE-JEANNE – Quel est ton oiseau préféré ?
MOI – (Je pense : « Certainement pas Jocelyne, ma prof de français ! », mais je garde ça pour moi, évidemment.) Le rouge-gorge. Il faut s'entraider, entre rouquins !

MARIE-JEANNE – Quels sont tes auteurs de prose préférés ?
MOI – J'en ai deux : Michel Tremblay et David Grégoire. Le deuxième, c'est mon père. Il a publié deux romans. Le dernier est mon préféré. Il s'intitule *Anastasie* et vient tout juste de paraître. Ça raconte la vie de la demi-sœur de Cendrillon, avant que la « souillon » et son père ne débarquent chez elle. On pourrait penser que c'est un livre pour enfants, mais non. Pas du tout. C'est pour adultes. Pour ados aussi, mais il faut savoir ce qu'on a entre les mains. Ça va loin dans la cruauté, je dirais. Le roman montre comment Javotte, la grande sœur d'Anastasie, parvient à la rendre méchante, elle aussi. C'est à lire, vraiment !

MARIE-JEANNE – Quels sont tes poètes préférés ?
MOI – Hummm. Pour être honnête, je m'y connais pas vraiment, en poésie. Par contre, récemment, on a lu

en classe des vers de Verlaine. Ses alexandrins m'ont vraiment touchée. Je trouvais ça tellement beau que j'ai essayé d'en apprendre un bout par cœur. On va voir si j'ai une bonne mémoire. C'est drôle, je réalise que le poème s'intitule « Green ». Le mot anglais pour « vert » ! Tiens, tiens…

Voici des fruits, des fleurs, des feuilles et des branches
Et voici mon cœur qui ne bat que pour vous.
Ne le déchirez pas avec vos deux mains blanches
Et qu'à vos yeux si beaux l'humble présent soit doux.

MARIE-JEANNE – Bravo !
MOI – Merci !

MARIE-JEANNE – Quel est ton héros dans la fiction ?
MOI – Je vais dire une héroïne : Carmen, dans *Sainte Carmen de la Main*, une pièce de Michel Tremblay. Ceux qui ont écouté *M'as-tu vu ?* l'automne dernier sauront pourquoi.

MARIE-JEANNE – Ton compositeur de musique préféré ?
MOI – Je m'y connais pas assez, en musique classique. Mais je pourrais nommer ma chanteuse préférée, par exemple. Ces jours-ci, c'est Melissa Etheridge. Elle a une voix rauque qui ressemble beaucoup à celle de ma belle-mère, Marie-Annick. Ma chanson préférée, c'est un vieux *hit* intitulé *Like The Way I Do.* C'est du rock et ça prend aux tripes, comme dit ma belle-mère. Mais comme j'ai l'âme généreuse, je vais vous épargner le

supplice de m'entendre la chanter. Pour ceux qui la connaissent pas, je vous invite à aller sur YouTube.

MARIE-JEANNE – Que détestes-tu par-dessus tout?
MOI – Les gens qui disent quelque chose et qui font l'inverse. Par exemple, si tu dis que tu es contre les cabines de bronzage et que tu passes tes soirées à te faire bronzer dans un salon, je trouve pas ça cohérent. J'aime la cohérence, moi. J'aime que nos actes soient cohérents avec nos paroles…

MARIE-JEANNE – Comment aimerais-tu mourir?
MOI – Dans mon sommeil, sans souffrir. Et très vieille. J'ai l'impression que je suis pas originale. Tout le monde voudrait mourir comme ça.

MARIE-JEANNE – Je confirme, Cyb! Dans quel état d'esprit te trouves-tu présentement?
MOI – Je suis détendue, pas mal. Et je me sens en confiance. J'ai sincèrement hâte que la nouvelle saison commence. J'ai l'impression que je vais enfin pouvoir prendre la place qui me revient.

MARIE-JEANNE – Et pour finir, quelle serait ta devise?
MOI – Hum. Bonne question : *Ayons de l'empathie.* C'est mon père qui m'a appris ce mot-là. Ça veut dire : *avoir la faculté de se mettre dans la peau des autres.* En ayant de l'empathie, on juge tellement moins. C'est d'ailleurs ce que je souhaite à tous les participants de la nouvelle édition…

MARIE-JEANNE – Bonne chance, mon amie.
MOI – Merci, mon amie.

Mes réponses, préparées la veille, je l'avoue, sonnent tout de même spontanées. Je suis en paix avec le résultat. Tout y est : mon certain humour et ma certaine substance. Je n'ai pas envie de me défenestrer à cause de ce que j'ai vu.

Mais quelque chose m'agace. Et ça ne me concerne pas… C'est dur à admettre, mais dans le topo, Marie-Jeanne m'irrite un peu. Elle est trop captivée par la caméra. Elle sourit trop et préfère regarder la lentille plutôt que mes yeux. Toutes les questions, elle semble les lancer à la caméra plutôt qu'à moi. Et naturellement, elle n'écoute pas les réponses, ou sinon d'une oreille beaucoup trop distraite.

Après le questionnaire de Proust, on me voit en train de marcher dans la ville, sur voix off, soit la mienne, enregistrée plus tôt. Marie-Jeanne est toujours dans mon ombre. Ce n'est pas une image ! Elle se cale véritablement dans mon ombre et me marche sur les talons. Un peu comme la Karianne Chenail dans l'ombre des bling-bling de KellyAnn Désilets-Cormier du Juvénat des Éternelles Pleureuses. Heureusement que je la connais bien, je sais qu'il n'y a aucune mesquinerie ici. Qu'un désir de briller de mille feux.

Je jette un coup d'œil sur Marie, assise près de moi, dans son salon. Elle est heureuse de se voir à la télé.

Tant mieux. Allez, Cybèle, sois bonne pour ton amie. Elle ne sait pas ce qu'elle fait. Héhé.

Je replonge mes yeux dans l'immense écran HD pour ne rien manquer de la fin de mon clip de présentation. Eh, *boboy*. Une prise de vue est particulièrement cruelle. Au moment où je m'entends dire en voix off « C'est mon tour ! » la caméra me prend d'en dessous, en contre-plongée, pour que j'aie l'air impériale, immense. Ça fonctionne. J'ai l'air impérialement grosse. J'ai l'air d'avoir toute une panoplie de mentons immenses.

Je suis troublée ; à l'écran, Marie-Jeanne a presque l'air plus mince que moi ! C'est certainement impossible. Je compare la rondeur de nos joues dans la télé HD. Elle est très similaire. Marie aurait-elle perdu du poids ? En aurais-je pris ? La seconde hypothèse me surprendrait moins.

L'émission se termine dans les cris de joie de Marie, qui me saute dans les bras. Elle me fait tournoyer au milieu du salon. Je me laisse faire sans rien dire et je rentre chez mon père, impérialement confuse. Je réalise que la télé, pour moi, ce sera toujours ça : j'alternerai entre la fierté d'avoir du contenu et la déception de ne pas avoir un joli contenant. Avant de me coucher, je lis le message que Maxime m'a envoyé, via Facebook : « Je ne sais pas si tu vas gagner, mais une chose est sûre : à mes yeux et dans mon cœur, tu es celle qui se démarque le plus. Je suis fier de toi. »

Il y a forcément une connexion entre Maxime et moi pour qu'il m'écrive des mots doux chaque fois que j'en ai vraiment besoin.

JOUR 2

Le perchiste en camisole fait frémir toutes les filles de la classe. J'avoue qu'il a de beaux bras. Mais trop gonflés à mon goût. Je préfère ceux de mon chum, plus modestes. Ça me fait réaliser combien je m'ennuie de lui.

– Tu veux un bonbon au beurre, Éric ? demande Flavie.
– Ah, ben oui. C'est smatte.
– Ça fait plaisir. T'es sur Facebook, Éric ?
– Euh, oui. Toi aussi, j'imagine ?
– *Yes*, madame ! fait Flavie.

Éric rit. L'expression de mon amie est pour le moins colorée. Mais peut-être aussi rit-il par malaise ? Ça doit être contre son éthique de perchiste d'ajouter une mineure de l'école où il travaille sur Facebook. Mais Flavie a un pouvoir de persuasion incroyable. Éric cède.

– OK. Éric Grandbois. Ma photo de profil, c'est un cheval. Avec moi dessus.
– Cool. J'espère te reconnaître. Tu portes-tu ton casque de son ?
– Non. J'évite de le porter quand je fais du cheval.

C'est au tour de Flavie de rire. Mais son rire ne sonne pas comme celui d'une gamine stupide. Elle a un rire à la fois pétillant et mature.

– Tu fais bien. T'es-tu en camisole sur la photo ?
– Je suis toujours en camisole.

– *Good, good.*
– Donc, tu m'ajoutes ?
– *Yes,* madame !

Éric rit une fois de plus. Il est charmé par mon amie. Comme tous les autres.

Flavie dit à qui veut bien l'entendre (moi, entre autres) qu'il faut toujours avoir des cartes professionnelles sur soi pour les distribuer à des gens intéressants. À 15 ans (et forcément sans emploi), elle n'a pas encore ses propres cartes. Qu'à cela ne tienne : elle distribue des bonbons au beurre à tout le monde qu'elle croise. Elle a toujours une quantité industrielle de bonbons gras dans ses poches ou son sac. Pendant que les gens suçotent leur bonbon caramel, elle leur demande leurs coordonnées pour les rentrer dans son cellulaire. Elle collige tout dans son cell. Tous les numéros de téléphone, toutes les adresses, les dates d'anniversaire. Elle passe sa vie à texter pour souhaiter des « bonne fête ». Les gens sont toujours touchés de cette attention et l'aiment encore plus.

Flavie Ross est un phénomène.

Elle est toujours sur le cul de voir que je n'ai pas de cellulaire. Depuis janvier, même Marie-Jeanne a son iPhone (gracieuseté de Richard-sirop-pour-la-toux-grasse Tougas, naturellement !). Mais elle ne s'en sert pas comme Flavie. Elle y met surtout des chansons de Justin Bieber et de One Direction qu'elle écoute le midi.

Elle prend quelques photos de nous, mais toujours décentrées et floues. Elle ne connaît pas bien encore toutes les applications de son téléphone intelligent. Ce n'est pas moi qui pourrais l'aider ; je n'y connais rien ! En tout les cas, Marie n'en fait pas une maladie, de son iPhone. Flavie, elle, a toujours le nez dans le sien. Elle me photographie en gros plan et, avec ses applications, elle peut me vieillir ou me grossir. Chaque fois qu'elle fait ça, nous rions aux larmes. Mais secrètement, j'attends toujours qu'un de ses logiciels me rende belle.

Flavie à l'air d'une petite femme d'affaires. Elle semble toujours en train de gérer des dossiers, d'éteindre des feux, de boucler des ventes importantes. Une agente immobilière, rien de moins. C'est captivant de la voir aller.

Quand je serai grande, je veux être Flavie Ross. La même dégaine, la même assurance, le même rire rassembleur. Et un iPhone dans un divertissant boîtier en forme de petite cassette *vintage*, moi aussi ! Je ne pensais pas vouloir un jour un iPhone, mais depuis que je connais Flavie et que Marie a le sien, j'ai comme une petite jalousie. Mais je n'en ai pas les moyens. Ni pour le iPhone ni pour le forfait ! C'est une dépense superflue selon mes parents. La vérité, c'est que de tous les parents des élèves de Marie-de-la-plus-Haute-Espérance, les miens sont sans doute les moins fortunés. Je me vois mal leur quémander ça, alors que mon père parvient à peine à régler la facture salée de mon collège privé. Ça ferait un peu princesse, mon affaire.

*

Puisque maintenant, je passe la plupart de mon temps chez mon père et Marie-Annick et qu'ils ne regardent pas la téléréalité, je suis prise pour aller chez mes copines, si je ne veux pas être toute seule dans mon divan pour me voir à l'écran. C'est plus excitant en gang. Ce soir, je vais regarder le deuxième épisode chez Flavie. Elle a invité Marie-Jeanne, mais mon amie a décliné l'invitation. J'ignore ce qu'elle avait de plus excitant à faire que de passer la soirée avec Flavie, la fille la plus charismatique de l'école, et moi, sa meilleure amie ! C'est ma première visite chez les Ross. Leur maison est un peu plus modeste que celle de Richard-sirop-pour-la-toux-grasse Tougas, mais elle est magnifique. Tout de suite, je m'y sens bien.

Nous regardons l'épisode au sous-sol, seules, toutes les deux. L'émission se penche sur les acolytes des cinq ambassadeurs. Taz, KellyAnn, Céleste et Raphaël-Carl présentent leurs covedettes. Peu de gens intéressants là-dedans. Beaucoup d'élèves banals et interchangeables. Pour ma part, on me voit nommer mes quatre acolytes rudement plus intéressants : Francesca, Debra, Tristan et Olivier. Après un portrait succinct de chacun, fait avec brio par eux-mêmes, on nous voit tous dans le local « LGBT et amis » en train de *brainstormer* sur une activité artistique pour samedi prochain, soir de gala. À l'écran, Flavie anime une discussion à partir de sa brillante idée de documentaire. La caméra l'aime. Dans la vie, Flavie est très belle. À l'écran, elle irradie.

Au terme de l'émission, mon constat est assez évident.

– T'aurais fait une meilleure ambassadrice du collège que moi.
– Ben non. Dis pas des niaiseries.
– Je suis sérieuse. T'es parfaite. Créative et articulée ! Et en plus, t'as un seul menton, toi !
– Que c'est que tu racontes ? Toi aussi, t'es tout ça ! Et je te jure : t'as vraiment juste un seul menton ! Bon, je vais te changer les idées, moi. T'as voté, aujourd'hui ?
– Oui.
– Combien de fois ?
– Ben… deux fois. Un vote par téléphone et un par internet. J'ai juste une adresse courriel. C'est max un vote par jour, non ?
– T'es cute. Moi j'ai voté une trentaine de fois, minimum.
– Quoi ?! T'as trente adresses courriel ?!
– *Yes*, madame. Je les ai créées exprès pour voter ! Elle est *wise*, la fille, hein ?

Quelle fabuleuse idée : nous créer de nouvelles adresses courriel, pour pouvoir voter davantage et augmenter nos chances de remporter le concours. Elle propose une tonne d'adresses terriblement drôles. Je m'y mets moi aussi. Ensemble, nous trouvons des perles d'originalité. Nous nous encourageons à délirer pour nous assurer que l'adresse courriel n'existe pas déjà.

Nous flirtons d'abord avec l'absurde et les effets de surprise :

suave_grenouille@hotmail.com
funambule_qui_a_le_tournis@hotmail.com
belette_vibrante@hotmail.com
camionneuse_feminine@hotmail.com
ballerine_virile@hotmail.com
haleine_aux_asperges@hotmail.com
parfum_de_vomi_automnal@hotmail.com
savon_de_lait_rance@hotmail.com
chachacha_de_matante@hotmail.com
jokes_de_mononcle@hotmail.com
grands-parents_aerobiques@hotmail.com

Nous revisitons des personnalités connues :

rene_angelil_a_une_voix_sensuelle@hotmail.com
celine_dion_a_un_long_menton@hotmail.com
joselito_aime_un_peu_trop_danser@hotmail.com
whitney_morte_dans_son_bain@hotmail.com
amy_et_son_pauvre_foie@hotmail.com
marie-mai_a_des_ongles_pointus@hotmail.com
le_furieux_toupet_de_la_roux@hotmail.com
la_robe_de_salmonelle_de_lady_gaga@hotmail.com
la_langue_flexible_de_miley_cyrus@hotmail.com
paul_houde_le_nympho@hotmail.com
apreslapausejustinbiebersombredanslenferdeladrogue
@hotmail.com

Nous créons des adresses en partant des noms de nos rivaux :

sexy_taz_dufresne@hotmail.com

duck_face_kellyann_desilets-cormier@hotmail.com
duck_face_karianne_chenail@hotmail.com
space_celeste_fournier@hotmail.com
politically_correct_raphael-carl_gamache@hotmail.com

Plus un bonus personnel :

magali_pas_de_e_a_un_gros_cul@hotmail.com

Puis, en partant de notre entourage et de nous :

richard_sirop_pour_la_toux_grasse_tougas@hotmail.com
eric_le_beau_perchiste_aux_gros_bras@hotmail.com
jocelyne_loiseau_se_cache_pour_mourir@hotmail.com
paul_trop_de_gel_dans_les_cheveux_mignot@hotmail.com
je_suis_moins_belle_que_les_teletubbies@hotmail.com
cybele_fait_la_split@hotmail.com
flavie_fait_le_pont@hotmail.com
tristan_fait_la_roue@hotmail.com
marie-jeanne_fait_pas_grand_chose@hotmail.com

Parce que nous avons beaucoup de temps à tuer et de rires à verser, nous reprenons notre liste en la transformant en adresses gmail.com, puis en sympatico.ca. Trente-sept adresses inventées sur Hotmail, 37 sur Gmail, 37 sur Sympatico.

Je suis subjuguée par l'imagination débordante de Flavie Ross. Je crains que nos adresses soient jugées bidon, mais ma nouvelle amie est persuadée qu'ils ne regardent pas ça. Ils ne font que compiler les votes. Rien de plus. Notre délire est le bienvenu.

– C'est plate que Marie-Jeanne soit pas là, que j'observe au bout d'un moment.
– Bof. C'est la vie. Elle était occupée. On s'amuse quand même, non?
– Mets-en.
– *Yes*, madame.

Recluses dans la grande salle d'ordinateur de la famille Ross, nous prenons une bonne heure et demie à voter avec nos 111 adresses courriel qui ont toutes le même mot de passe facile à retenir: flaetcyb15. Cent onze votes supplémentaires pour l'école Marie-de-la-plus-Haute-Espérance. Cent onze votes par jour d'ici samedi (si nous sommes rigoureuses et qu'internet ne nous lâche pas)! Si jamais notre collège est retranché de la compétition samedi soir prochain, malgré notre coquin stratagème, c'est que nous étions vraiment peu aimés!

Louise, la mère de Flavie, nous apporte des chocolats chauds faits maison, plus amers que sucrés. C'est une femme magnifique. Elle est svelte comme peu de femmes de son âge le sont. Elle est chorégraphe, c'est peut-être pour ça. Elle emmène sa fille voir plein de spectacles. Flavie est chanceuse; moi je n'ai jamais vu un vrai spectacle de danse de ma vie! Je veux dire: un spectacle fait par des professionnels. Le seul endroit où ma mère me sort, c'est à l'Aubainerie ou au Target! Rien d'excitant là-dedans!

Je demande à mon amie de me parler de ce qu'elle a la chance de voir.

– Ma dernière grande expérience, c'était le printemps dernier. C'était dans un festival important de danse à Montréal. Dans une grande salle. J'ai oublié le nom. En tout cas, j'étais assise dans la première rangée, entre deux étrangers, parce que ma mère allait voir un autre spectacle dans une autre salle de l'autre côté. J'étais seule, coincée entre un vieux monsieur corpulent de genre 60 ans et une belle madame de genre 30 ans. Elle avait les pieds nus. Pas de bas, pas de sandales. Sur le coup, je me suis dit qu'elle était *bright*. Il faisait super chaud. Elle avait raison de se mettre à l'aise. J'ai pas trop réfléchi et j'ai fait pareil. J'ai enlevé mes gougounes et je les ai mises entre mes pieds. C'est là que j'ai réalisé qu'elle en avait pas, elle, de gougounes entre ses pieds. Elle pouvait quand même pas être venue nu-pied au théâtre, que je me disais. À moins que ce soit une gipsy ? Tsé, les gens qui ont pas d'argent et qui chantent avec des drôles de voix… En tout cas, c'est là que le spectacle a commencé. L'éclairage s'est modifié et une musique a retenti, pour nous le faire comprendre. La belle madame de 30 ans s'est levée aussitôt et est montée sur le *stage*. Elle s'est mise à danser ! J'ai *catché* que j'étais assise juste à côté d'une danseuse. C'est pour ça qu'elle avait pas de sandales, ni rien. Elle était dans le spectacle ! Je me suis sentie mal, tout d'un coup, de m'être déchaussée. C'est pas poli, que me dirait ma mère. J'avais peur que mon voisin pense que je puais des pieds. Mais tsé, je puais vraiment pas des pieds; je venais juste de prendre ma douche avant de partir pour Montréal. La madame de 30 ans dansait tu-seule sur la scène. Au bout d'une minute, un jeune homme est venu la rejoindre. Il était lui aussi dans ma rangée. Comme elle, il s'est levé et est monté sur le *stage*. Il a fait le même mouvement que mon ancienne voisine de siège. Elle, elle commençait un autre *move*. Après une autre minute, quelqu'un d'autre de ma rangée s'est levé et est monté lui aussi. Pis après une autre minute, encore un autre. J'ai *catché* ce qu'on vivait : c'était une chorégraphie en canon. Comme quand on chante « Frère Jacques » pis qu'une autre voix commence la chanson du début quand on est rendu à la partie « Dormez-vous… ». Sauf que, plutôt que d'avoir quatre parties, il y en avait une quantité industrielle. Les spectateurs nu-pieds de notre première rangée arrêtaient pas de monter rejoindre leurs collègues sur la scène en commençant par le premier geste, alors que ma voisine gipsy de 30 ans en était déjà à quoi, son dixième mouvement ? Ça arrêtait pas. Un moment donné, j'ai compté une vingtaine de danseurs sur la scène. Notre rangée était à moitié vide. J'ai jeté un coup d'œil à mon voisin enrobé. Y avait ses chaussures. Je doutais qu'il se mette de la partie, lui aussi. Anyway, ça aurait détonné pas mal de voir un vieux monsieur rond dans la choré en canon ! Non ? En tout cas, c'est là que j'ai *catché* que le monsieur me regardait du coin de l'œil. Comme j'étais nu-pieds pis que j'ai vraiment la *shape* d'une danseuse, il devait clairement se dire que je faisais partie de la troupe ! Il me donnait au moins 18-19 ans ! Il me zieutait en se demandant si j'allais moi aussi me lever pis rejoindre les autres sur la scène. Je lui souriais, sans le regarder vraiment. L'air de dire : « Patiente, mon gros. Tu verras… » Pis Cybèle, je te jure, je me suis retenue à deux mains pour pas demander au gros monsieur de surveiller mes sandales et mon sac, pis de grimper sur le *stage* moi aussi ! Ça me démangeait tellement. J'avais des vêtements amples et les pieds nus ! J'étais prête et libre. Mais surtout, j'avais *catché* la série de mouvements à faire. C'était vraiment *easy*. J'aurais vraiment pu faire partie du *show*.

Je suis suspendue à ses lèvres.

– Pis ??? T'as-tu grimpé ?
– Non… J'ai rien fait. Mais le gros monsieur a passé le show à me regarder du coin de l'œil, certain que mon tour allait venir. Jusqu'à la fin, il pensait que j'étais le clou du spectacle.
– J'imagine.

Je vois très bien la scène. À la place du vieux monsieur, j'aurais cru la même chose. C'est vrai que Flavie a le corps d'une danseuse. C'est ce que je me dis alors que je cale la dernière gorgée de mon chocolat chaud rendu tiède.

– J'aurais dû grimper. Je connaissais les mouvements. C'était super facile. J'aurais pu être la 26e danseuse. Mais j'ai été une bonne fille pis je suis restée écrasée dans mon siège. Des fois, Cybèle, je regrette d'être aussi sage. Aussi respectueuse des codes de conduite. Je sens

que j'ai plus de folie en moi que ça. Il me semble que je serais le genre de fille *game* de monter sur un stage pis de danser!
– Tu te rattrapes en inventant des adresses courriel.
– *Yes*, madame ! Je me rattrape !

À 21 h 03, heure locale de la Montérégie, Flavie est officiellement mon idole.

JOUR 3

– Non, elle m'a pas invitée, hier. Elle était censée ?

C'est Marie-Jeanne qui m'apprend ça, sur le chemin nous menant à l'école. Flavie ne l'aurait pas invitée, alors ? Marie m'a appelée chez mon père après le souper, mais j'étais déjà partie chez Flavie-*yes*-madame-Ross. Disons que Marie a très hâte elle aussi que j'aie un cellulaire pour me joindre en tout temps, comme les autres.

Comme c'est étrange, cette fausse invitation. Mais Marie-Jeanne a une explication en tête.

– Je pense qu'elle m'aime pas.
– Flavie ? Ben voyons ! Elle aime tout le monde.
– Disons plutôt qu'elle fait semblant d'aimer tout le monde. Mais elle est hypocrite. Je pense vraiment qu'elle m'aime pas. Elle me parle juste quand je suis avec toi. Si t'es pas dans les parages, elle m'ignore complètement.

Je tombe en bas de ma chaise, même si je suis en train de marcher.

– T'es certaine de ce que tu dis ?
– Ouin, pas mal certaine.
– OK. Je vais lui en parler.
– Non, fais pas ça. C'est trop gênant.
– Je vais être subtile, tu me connais.
– Ouin.

Marie-Jeanne remonte sa jupe. Elle passe son temps à remonter sa jupe depuis quelque temps, on dirait. C'est curieux, cette manie. Veut-elle charmer les gars avec ses cuisses? Plus elle remonte sa jupe et plus elle révèle de peau. C'est une méthode répandue à l'école, à ce que je vois. Une manière de s'approprier l'uniforme en l'ajustant à sa façon. Je vois plusieurs filles qui se font avertir par monsieur Mignot quand elles ne respectent pas la quantité de peau visible réglementaire. La litanie du directeur: « Le bas de la jupe doit être au maximum à quatre doigts des genoux, alors descends un peu ta jupe, jeune fille… » Marie-Jeanne serait-elle du lot de ces séductrices? Ce serait étonnant.

Arrivées à l'école, avant que ne débarque une caméra dans le cours d'art dramatique que nous avons elle et moi (Marie-Jeanne a pris l'option arts plastiques), je prends Flavie à part.

– Marie-Jeanne m'a dit qu'elle a pas été invitée, hier soir…
– OK. Pis…?
– Oh, mais tu m'avais pas dit l'avoir invitée?
– J'ai dit ça, moi?

Elle lâche la phrase comme si ce n'était aucunement important.

– J'étais peut-être dans la lune, quand j'ai dit ça. Je m'excuse.

Pas une once de malaise. C'est inquiétant. Et si les pressentiments de ma meilleure amie étaient fondés?

– Flavie, est-ce que ça se pourrait que t'aimes pas Marie-Jeanne?

Elle se rapproche de moi. Elle va me faire une confidence, ça se sent.

– Est-ce que ça se pourrait que ton amie sente pas super bon?

J'éclate de rire.

– Ben non! T'es ben drôle! Marie sent bon, voyons! Elle adore le parfum.
– Ben justement, on dirait qu'elle s'en met trop. Ou des fois pas assez. Tu trouves pas?
– Hein? Non. J'ai jamais remarqué.

Le cours commence et la caméra s'allume. Mon corps est certainement filmé, mais je ne suis pas présente d'esprit. Je pense à Marie, possiblement peu aimée de Flavie. J'attends midi pour la voir enfin. Je mange seule avec elle, loin des caméras qui s'attardent aux autres élus de l'école, pour me laisser un peu de répit. Je tente de humer son odeur. Eh, *boboy*. Flavie avait raison. Elle empeste le parfum. Comment avais-je pu ne pas remarquer ça?

Comment peut-on dire à son amie : « Oh, mais tu pues le parfum, aujourd'hui » ? Ça ne se dit pas… Mieux vaut retenir simplement sa respiration et l'écouter parler, en intervenant le moins possible. Pendant que j'avale mon sandwich, j'écoute Marie philosopher. Puisque, par le passé, sa mère n'avait pas de réel emploi à part ses contrats de tricot, mon amie découvre depuis peu les joies d'avoir un parent qui travaille.

– Dans le fond, c'est vrai que les métiers de nos parents nous apportent des avantages. La mère de Magali travaille dans un salon de bronzage, donc Magali a la peau (trop) bronzée. Le père de Fanny a un club vidéo, donc Fanny peut regarder tous les films qu'elle veut gratuitement. Le père de Maxime travaille dans une usine à savon, donc Maxime à mille échantillons de savon chez lui. Moi, mon beau-père à une grosse boîte de sirop pour la toux, donc j'ai jamais mal à la gorge. J'ai tout le sirop que je veux.
– Ça marche pas ton affaire. Moi, mon père est écrivain et ma mère préposée à la Caisse Desjardins.
– Ben non, ça marche. Ton père est écrivain, donc tu as tous ses livres gratuits.
– *Wow*, dis-je sans excitation.
– Et ta mère travaille à la Caisse Desjardins, donc tu as un compte à la Caisse Desjardins.
– Je me sens terriblement privilégiée, y a pas à dire, que j'ironise.
– Si jamais tu as mal à la gorge, je t'apporte une bouteille de sirop. L'amitié, c'est fait pour ça. Je vais être ta *pusher* en sirop.

– T'es une amie formidable.
– Je sais, rigole-t-elle.

Une amie formidable, mais qui empeste le parfum.

*

Le dîner est bref. Il nous faut travailler fort pour présenter un documentaire percutant samedi prochain. Nous sommes une équipe du tonnerre. Olivier et Francesca s'occupent de préparer les entrevues. Olivier, parce qu'il est calé dans les relations sociales, et Francesca, parce qu'elle connaît le suicide de près. Personnellement, je trouve ça beau de voir une secondaire 1 et un secondaire 5 travailler ainsi de pair. Debra, Flavie et moi jouons les recherchistes et planificatrices (hier matin, nous avons fait un mot à l'interphone, et suite à cet appel, deux élèves sont venus aujourd'hui nous parler en privé). Tristan, notre petit Xavier Dolan, est responsable de réaliser, de filmer et de monter le tout. Et Marie-Jeanne est affairée à empester le parfum de Justin Bieber.

Nous obtenons tous les sept une libération pour le 4e cours de la journée (c'est celui d'éthique, alors ce n'est pas trop grave). Nous sommes en tournage dans notre local « LGBT et amis ». Olivier interviewe avec doigté et respect les deux secondaire 2 qui sont venus se livrer à nous : un gars qui admet avoir songé au suicide après toute une enfilade de problèmes, et une fille qui a surpris sa sœur en train de tenter de s'enlever la vie. Francesca aussi se prête au jeu et discute de son cheminement depuis le suicide de sa mère. Juste à les écouter parler avec autant d'abandon, j'ai des frissons. Ça augure bien pour samedi, qu'on se dit tous. Et ce n'est pas tout : demain, grâce aux contacts des parents de Debra, nous allons avoir la chance d'étayer davantage notre documentaire en ajoutant le point de vue d'une psychologue. Nous sommes en *business*. Si nous n'étions pas incommodés par le parfum de Marie-Jeanne, nous le serions encore plus.

C'est curieux de voir une équipe de tournage (*M'as-tu vu ?*) qui filme une autre équipe de tournage (Tristan et les autres qui prêtent main-forte pour le son). Jocelyne Loiseau, alias Folcoche, nous a parlé récemment de ce qu'était une mise en abyme, en littérature. Je crois que nous en vivons une.

Tristan n'aime pas se faire filmer en train de filmer. Il veut de l'espace. Heureusement, le caméraman et Éric, le perchiste, sont confinés à l'extérieur de notre local privé. Ils se contentent de filmer par la fenêtre. J'ignore si c'est une question de pudeur. S'ils veulent préserver notre moment d'intimité ou nous permettre d'avoir une vraie surprise à présenter samedi soir, au premier gala. Flavie me glisse son hypothèse à l'oreille : « C'est le parfum de Marie qui les fait fuir. C'est bien la seule chose qu'elle nous apporte de bon avec ça aujourd'hui. »

Je voudrais ne pas rire.

Mais je ris.

Oups.

*

– Ce serait agréable que tu restes avec nous, ce soir, Cybèle. Question de te rappeler avec qui tu vis, ironise mon père.
– OK…
– Quel cœur magnanime !

À vrai dire, je le comprends. Je serais allée chez Flavie ou chez Marie-Jeanne, mais je vais me montrer *magnanime.* Je vais me la jouer « ado docile ».

– On jouera au Scrabble, d'accord ? Marie-Annick a un contrat ce soir. Ce sera une soirée juste entre toi et moi ! C'est splendide, hein ?
– C'est totalement splendide, que j'ironise à mon tour. Mais pas longtemps parce qu'à 19 heures, j'ai mon émission.
– Toi pis ton émission…

Mon père soupire et sort son jeu de Scrabble avec un petit sourire sur les lèvres. Je connais bien mon papa. Au fond de lui, il est très excité à l'idée de sortir la planche de jeu et les lettres de bois. Marie-Annick ne veut jamais jouer à ce jeu. Il est donc, la plupart du temps, pris pour parfaire ses aptitudes en jouant sur internet, avec un partenaire virtuel qu'il parvient toujours à battre.

Si mon père réussit à battre un partenaire virtuel au Scrabble, il n'est pas surprenant qu'il pulvérise sa fille avec autant d'aisance !

Juste avant que l'émission commence, il réussit à me battre en plaçant sur la planche le mot *inepties*, au pluriel. À 18 h 59, j'ouvre ma télé. Mon père ne me rejoint pas au salon : il file lire un livre dans son bureau d'écriture, sans doute pour dénicher d'autres mots précieux pour conserver à jamais le titre du joueur de Scrabble le plus redoutable de la Montérégie. J'aurais aimé qu'il regarde l'épisode avec moi. Qu'il ne se joigne pas à moi, c'est la preuve que je le déçois.

Je regarde mon émission avec un sentiment qui flirte avec la déception : peu de traces de moi et trop de la céleste Céleste. On voit l'élève du collège Marie-Laberge faire une activité de cartomancie dans sa cafétéria et échouer systématiquement, à en juger par les sourires de malaise de ses victimes. Je suis sur le bord de ressentir de la pitié... Mon père fait bien de garder son *empathie* pour des causes plus importantes et de ne pas perdre de temps avec de telles *inepties*.

JOUR 4

Je prends une gorgée d'eau à l'abreuvoir sur la pointe des lèvres. J'effleure le métal par accident. Ça y est : j'ai dû contracter une ITS ! Je serai belle à la télé, avec une moustache de feux sauvages. À l'école, le jet de robinet de la fontaine est une vraie *joke*. Il ne coule presque pas. Pas de bel arc, comme dans les abreuvoirs de centres commerciaux. L'eau s'écoule tristement. Ce qui fait que nous sommes tous obligés de boire les lèvres collées sur le robinet. De quoi se passer tout un cocktail de rhume, de grippe et d'herpès buccal. C'était la même chose à l'école Pierre-Jean-Jacques : l'eau de l'abreuvoir giclait à deux millimètres du robinet. Ma théorie, c'est que c'est comme ça dans toutes les écoles, privées ou publiques. C'est peut-être une méthode pour nous renforcer le système immunitaire ?

Je détiens peut-être un autre sujet de documentaire ? Je ferais une excellente recherchiste, je crois. En attendant, je dirige Dre Ranger, l'amie du père de Debra Farley, vers notre « LGBT et amis ». À en juger par son tailleur et sa mallette, elle semble une redoutable psychologue. Bravo, Debra !

Dre Ranger aime notre projet et répond à nos questions avec beaucoup de générosité et d'intelligence. Elle nous apprend des chiffres désastreux. Chaque jour, trois Québécois s'enlèvent la vie. En 2009, le suicide a fait plus de 1100 victimes. 76 % étaient des hommes. Le taux de mortalité par suicide est deux fois plus élevé que le taux de mortalité sur les routes (quand même!). Des dix provinces canadiennes, c'est le Québec qui a le taux de suicide le plus élevé. C'est un phénomène qui affecte tous les groupes d'âge et toutes les classes sociales. Le suicide est l'une des principales causes de décès chez les ados au Québec. Mais il y a aussi de bonnes nouvelles: chaque année, plus de 20 000 personnes appellent au CPSQ (Centre de prévention du suicide de Québec) et obtiennent l'aide nécessaire pour poursuivre leur vie. De 2001 à 2010, le nombre de suicides a diminué au Québec, alors que le nombre de demandes d'aide a augmenté. Le constat de Dre Ranger: il y a encore beaucoup de chemin à faire. Il faut développer très jeune le réflexe de verbaliser notre souffrance, d'en parler à des gens.

Une fois son tour terminé vient celui de Marie-Jeanne, puis de Debra, de Flavie et de moi. Nous partageons notre avis sur la question du suicide et du désarroi adolescent. Tristan ne se commet pas; il préfère rester derrière la caméra. Pour la partie d'Olivier, c'est moi qui pose les questions. Tristan est heureux: il dit qu'il a en masse de matériel pour faire un percutant documentaire de dix minutes.

– Je viens vous montrer où j'en suis ce soir, promis!

– *Yes*, madame! Chez moi après *M'as-tu vu?*, lance Flavie. Cybèle, tu viens regarder l'émission chez moi, OK?

Je regarde Marie-Jeanne avec de la culpabilité dans les yeux. Elle joue la fille qui s'en fiche.

– Oh, vas-y. De toute façon, j'ai quelque chose de prévu ce soir. Je fais mon travail sur *Vipère au poing* avec Milanie.

Mes yeux expriment la surprise. Milanie François? La fille aussi énergique qu'une mononucléose?

– Bon, ben tant mieux. À quelle heure chez toi, Flavie?
– Arrive donc pour le souper. C'est moi qui cuisine ce soir.
– Oh, cool.
– T'es allergique à quelque chose?
– À rien qui se mange. À part les chats.
– Pas de chat dans ton assiette ce soir, promis!

J'essaie de croiser le regard de Marie-Jeanne pour voir si elle se sent délaissée. Elle est déjà partie.

*

L'émission est terminée. Elle s'est un peu trop attardée à l'amitié exténuante du duo des Éternelles Gossantes (c'est comme ça que les surnomme Flavie): KellyAnn et Karianne qui chantent/massacrent *Diamonds* de Rihanna; KellyAnn et Karianne qui dansent sur *Girl on Fire* d'Alicia Keys en se prenant pour des flammes *cheaps* avec leurs bras ondulant dans les airs; KellyAnn et Karianne qui font un *lip sync* sur *Grenade* de Bruno Mars en pouffant de rire à toutes les dix secondes. Eh, *boy*. J'attends toujours qu'on leur injecte leur dose de Ritalin.

Tout de suite après ce supplice, Tristan est passé chez Flavie en coup de vent nous montrer là où il en était dans son montage du documentaire. « *Yes*, madame ! C'est suprêmement bon ! » a décrété mon amie. Et j'étais du même avis. Il vient de repartir en oubliant sa veste sur la chaise. C'est moi qui la remarque un peu trop tard.

– Garde-la. Tu la lui donneras demain à l'école, Cybèle.
– Pourquoi moi et pas toi ?
– C'est toi qui l'as trouvée, dit-elle en riant étrangement.

Je prends la veste dans mes mains et je constate qu'il y a aussi ses baguettes de *drum* glissées dans ses poches.

– Est-ce qu'il y a un talent qu'il a pas, ce gars-là ? que je demande à Flavie.
– Non. Il les a tous ! Il est bon cinéaste, hein ?
– Oh que oui !
– Il est gentil, hein ?
– Pas mal fin, oui !
– Il est beau, hein ?
– Que c'est que t'as, toi, avec tes questions ? Il t'intéresse ?
– Ben non ! Pus maintenant. On est sortis ensemble l'été passé.
– T'es sérieuse ?! Tu m'avais pas dit ça.
– Ça a pas été une relation amoureuse terrible. On a vite réalisé qu'on était juste des amis. Pis de toute façon, je suis pas la fille qu'il lui faut. Je prends trop de place. Toi, par contre, tu serais parfaite pour lui…
– Arrête de niaiser !

– Non, je suis sérieuse. Tu serais parfaite. T'es pile son genre, en plus !
– Ah oui ?
– Il a toujours tripé sur les rousses. Et il te trouve super belle, intelligente, fine pis toute !
– Pour de vrai ?
– Je te jure. Il m'a dit ça après l'école. Je suis rentrée chez moi avec lui.
– Ben coudonc. C'est flatteur.
– Lui, est-ce qu'il est ton genre ?
– Flavie, j'ai déjà un chum.
– Pis ?
– Je m'en cherche pas deux !
– Tristan serait peut-être mieux que ton Maxime ! Hein ? On sait pas.
– Non, non. Je sais que Maxime est parfait pour moi. Je suis comblée.
– Ouin, y a l'air pas mal exceptionnel, ton Maxime.
– Il l'est.
– Tu me le présentes quand ? Parce que pour le moment, il ressemble plus à un fantôme qu'à un chum !

Je me connecte à Facebook avec son ordinateur. Je lui montre des photos de Maxime. Je passe les moins belles ; je n'ai pas envie qu'elle trouve mon amoureux moins beau que Tristan. Pour l'amadouer, je choisis un portrait où Maxime sert dans ses bras Antonin, son petit frère trisomique. Ça fonctionne en partie : Flavie incline la tête et sourit.

– Tu sors avec lequel ? Celui avec les yeux bridés ?

– *Yes*, madame ! que je lui sers, pour lui clore le bec.

Nous rigolons comme des connes, affalées et heureuses, dans son immense lit *queen*. Un vrai lit de reine.

– Les reines de Marie-de-la-plus-Haute-Espérance ! crie Flavie.

Pendant qu'elle disparaît à la salle de bains, j'ai l'impression d'avoir froid. Sans trop réfléchir, je glisse mes bras dans la veste de Tristan et m'emmitoufle la tête dans son capuchon. Je fourre mon nez dans le coton ouaté. Ça sent Tristan Meunier à plein nez. Ça sent tellement bon.

Quand Flavie revient, la veste de Tristan est là où il l'avait oubliée : sur la chaise.

JOUR 5 (SAMEDI)

J'ai passé mon vendredi à stresser. Il était temps que samedi finisse par arriver. Notre documentaire est fin prêt. Tous les représentants de notre collège et moi sommes gonflés à bloc.

Contrairement à l'automne dernier, la nouvelle saison de *M'as-tu vu ?* a réellement pris de l'envergure. Forte de son succès, la téléréalité préférée des jeunes a maintenant son propre gala présenté en direct du studio Mel's. Le studio Mel's ! C'est ici que sont tournées les émissions *La Voix* et *Star Académie*. Dans quelques minutes, je serai sur la scène que plein de vedettes ont foulée. Rien pour me calmer, ça ! Dans le public, les familles sont là pour nous encourager. Ma mère est là, avec Maxime et Antonin. Patricia et Richard-sirop-pour-la-toux-grasse aussi. Dans la foule, je reconnais monsieur Mignot, notre directeur, tiré à quatre épingles et les cheveux luisants de gel.

Nous sommes les derniers à passer. Ce qui implique beaucoup de temps à perdre en coulisse, les jambes molles comme des linges à vaisselle qui pendouillent sur la poignée d'un four et la gorge sèche pareille à un plat qui a brûlé.

La première école est le Juvénat des Éternelles Pleureuses. Le duo insupportable s'allie à ses autres représentantes pour nous offrir un pot-pourri (presque réellement pourri !) de tout ce qu'elles savent faire sans génie. Une fille de secondaire 5 débute en chantant sans grande inspiration une chanson de Carly Rae Jepsen a capella, pendant qu'une autre fille de secondaire 2 fait des *back vocals* beaucoup trop intenses. Ensuite, une fille de secondaire 1 vient faire un tour de magie (euh… quoi ?!). Et leur *medley* sans queue ni tête se conclut avec une chorégraphie *flash* sur la fameuse chanson *Diamonds* de Rihanna du duo KellyAnn et Karianne, avec, en bonus, une fille de secondaire 3 beaucoup plus contorsionniste que danseuse. Pour l'occasion, la petite chinoise ultra flexible du dos porte un justaucorps plein de paillettes, pour évoquer les diamants de la chanson. *Cheap cheap cheap.* Un numéro étourdissant et fourre-tout de dix longues minutes. Aucune directive, aucune prise de position. C'est une proposition désespérément vide. J'espère de tout mon cœur que le peuple québécois calé dans son divan s'en rendra compte et ne votera pas pour elles.

Ensuite, venu de Québec, c'est au tour du collège Marie-Laberge. Ça ne vole pas plus haut, aussi céleste soit Céleste Fournier. Pour rendre hommage à Marie Laberge qui a entamé sa carrière d'auteure en tant que dramaturge, elle a choisi d'écrire une pièce de théâtre à saveur environnementaliste intitulée *La Terre épouse le Ciel.* Cette « œuvre » met en scène les cinq élus de son école. Je ne crois pas qu'elle ait sélectionné ces quatre collègues selon des critères de talent pour la comédie, car ils sont sincèrement pitoyables. Ils ont beau porter un micro sur leur horrible costume, leur voix est presque inaudible dans le studio Mel's, tant ils sont doués pour le marmonnage. Et ils ne semblent pas comprendre le concept de jouer pour le public. J'ai l'impression d'assister à une répétition catastrophique. Le décor en carton-pâte fait pitié, et n'a d'égal que l'absence de profondeur et de subtilité du texte de Céleste. Je ne crois pas qu'on fera d'elle une grande dramaturge. Je précise ici les personnages de sa pièce : un terrien, la Terre, le Soleil (jouée par la rouquine auteure en personne), un nuage et un oiseau ! Eh, *boboy*. Jouée par Antonin et ses collègues de classe, cette pièce de théâtre aurait peut-être eu un certain charme. Mais par des élèves du secondaire, le malaise frôle la honte. Numéro suivant, s'il vous plaît.

Vient heureusement la polyvalente du Soleil plein la tête, de Chaudière-Appalaches. L'hyperactif Taz Dufresne sauve le début de soirée d'un naufrage dans l'océan de l'ennui et de l'ineptie. Il a eu une idée fabuleuse. L'animateur-vedette lui demande ce qu'il a concocté, ce à quoi Taz répond : « Écoutez, je suis en secondaire 5. Comme une centaine de mes collègues de classe, je roule pas sur l'or, naturellement. Notre bal de finissants approche à grands pas. Nous avons tous envie d'être beaux et uniques sans nous ruiner. Depuis que mon frère est mort par suffocation dans un chandail trop moulant, j'ai poursuivi une réflexion sur les textiles. Je me suis renseigné sur un événement qui s'intitule « Je m'emballe autrement ». J'en ai parlé à mes collègues et tout le monde a été séduit par cette idée. Nous nous sommes inspirés de cet événement qui existe depuis bientôt dix ans. Notre défi à nous, c'est de fabriquer notre propre tenue de bal à partir de matières recyclées à 80 %, voire même à 100 %. Nous pensons que c'est possible. Donc, nous nous apprêtons à vivre notre bal de finissants de manière économique et écologique. De manière écoresponsable. Créer nos propres robes et nos propres vestons de bal, c'est une manière, bien sûr, de développer notre créativité, mais aussi de ne pas participer aveuglément au phénomène de surconsommation de vêtements qu'on porte juste une fois dans sa vie. Parce que oui, les bals de finissants, c'est une manne pour les boutiques de tenues chics. Notre constat est le suivant : tant qu'à porter un vêtement une fois dans sa vie, aussi bien que ce vêtement soit réellement unique. Mais ce beau projet serait impossible à réaliser sans l'aide de Solange Dufresne, ma tante, qui est couturière. Elle a gentiment offert de nous donner des cours pendant les heures de dîner de cette semaine. Nous vous avons préparé un petit montage de cet atelier de couture. »

Sur l'écran de fond de scène, on voit des jeunes, gars et filles, de l'École polyvalente du Soleil plein la tête en train de confectionner leur tenue de bal, sur des mannequins de couture à roulettes, au rythme d'une émouvante musique. Au terme du clip, une finissante de l'école vient parader dans sa jolie robe : un patchwork de jeans très audacieux et très réussi. Taz reprend la parole au micro : « Tania Vidal est la première à avoir achevé sa ravissante tenue de bal. Il y a quelques jours à peine, sa robe, c'était qu'un gros tas de retailles de jeans bon pour la poubelle. Maintenant, c'est une œuvre unique. Et nous sommes tous dans cette même voie de récupération et de recyclage. De transformation, en fait ! La semaine prochaine, si nous sommes encore dans la course, nous serons heureux de vous montrer nos tenues terminées, faites totalement par nous. Quel défi et quel dépassement de soi, quand même ! Ah, oui ! J'ai oublié de préciser que pour inclure nos collègues des autres niveaux, de secondaire 1 à secondaire 4, nous avons décidé de faire un party de fin d'année chic, de sorte qu'eux aussi puissent revêtir leur propre création. » Il a pensé à tout, décidément. J'admets que c'est une idée brillante. Je suis même un peu jalouse. Il a voulu populariser un concept peu répandu (je ne connaissais pas ça, « Je m'emballe autrement »). À mon sens, le petit diable de Tasmanie a visé juste ! Bravo, Taz !

Avant-dernière école, celle d'Il était mille fois, à Montréal, inscrite par le peu charismatique Raphaël-Carl Gamache. Dans son complet mal coupé et trop grand pour lui, le politicien en herbe se présente seul sur scène pour nous lire/jouer ni plus ni moins qu'un discours électoral. On a d'ailleurs mis à sa disposition un pupitre en bois, comme lors d'un véritable discours. Il pose avec conviction ses cartons sur le lutrin. Son exposé s'intitule *Ce dont l'école secondaire a besoin.* Ses intentions sont certainement nobles, mais son rendu est sans charme. En fait, c'est d'un ennui mortel. Tout ce que j'entends c'est *blablabla, blablablabla.* Mais à dire vrai, j'ignore si c'est vraiment endormant ou si c'est le stress qui m'empêche de bien écouter.

Notre tour finit par arriver. Heureusement que nous n'avons pas une pièce à jouer, une chanson à interpréter ou une chorégraphie à danser, car je n'ai ni jambes ni voix. Nous sommes en délégation sur la scène. Sept. Flavie, Marie, Olivier, Tristan, Debra, Francesca et moi. Parce que notre documentaire est un réel travail d'équipe, je me suis refusée de venir le présenter seule. D'ailleurs, avoir tant d'attention sur moi uniquement risquerait de me causer un petit arrêt cardiaque. Ce serait un peu prématuré à 15 ans, il me semble. L'animateur me tend le micro. Je ne suis pas faite pour ce monde-là. Il me demande comment s'est déroulée notre semaine. Je ne suis pas faite pour ce monde-là. Je lui réponds que ç'a été un pur charme. Je ne suis pas faite pour ce monde-là. On dirait que ma voix tremble. Je ne suis pas faite pour ce monde-là. Je vois mon visage sur les écrans géants. Je ne suis pas faite pour ce monde-là. J'entends l'écho de ma voix. Je ne suis pas faite pour ce monde-là. Je sens les projecteurs chauds sur ma peau. Je ne suis pas faite pour ce monde-là. On dirait que mes joues prennent feu devant le public heureux. Je ne suis pas faite pour ce monde-là. J'entends des gens scander mon nom en brandissant des pancartes avec le nom de mon école et le mien soudés dans un même cœur, indifférents à l'incendie qui ravage mon visage. Je ne suis pas faite pour ce monde-là. L'animateur passe le micro à Olivier et à Flavie qui expliquent le projet avec plus de salive, d'intelligence et de rigueur que moi. Eux, ils sont faits pour ce monde-là.

Nos visages projetés sur l'écran géant disparaissent. Notre documentaire commence enfin. Le titre tapisse tout l'écran : *Pour la suite de la vie.* C'est une idée de Tristan, fort belle. C'est un clin d'œil à un docufiction que je ne connaissais pas de Michel Brault, Marcel Carrière et Pierre Perreault (un film de 1967 s'intitulant *Pour la suite du monde*). Notre collectif à nous débute avec Francesca qui expose son drame avec émotion et humour, de la même manière qu'elle s'était confiée à moi. Les témoignages s'enchaînent bellement. Des élèves, deux parents, une psychologue. Les cadrages sont beaux, la musique judicieusement choisie. Je suis fière de mon équipe. Nous recevons des applaudissements nourris pendant que le numéro de Tel-jeunes à l'écran clôt le générique.

L'animateur brandit à nouveau son micro sous mon nez. Je dis ma phrase construite à l'avance : « Avec *Pour la suite de la vie*, nous ne prétendons pas approfondir les sujets délicats que représentent le suicide et le désarroi adolescent, mais nous voulons simplement rappeler aux jeunes qu'ils ne sont jamais seuls et qu'il existe toujours des solutions. » J'ajoute le numéro que j'ai appris par cœur pour l'occasion : « Si vous avez un problème, si vous broyez du noir, appelez sans frais au 1-800-263-2266. » Pendant dix secondes, je me sens comme une animatrice ultra maquillée de Boutique TVA. C'est au tour de l'animateur de fournir le numéro où téléphoner si les téléspectateurs jugent que l'école la plus *cool* est celle que je fréquente. Puis, avant une pause publicitaire, il rappelle le numéro si on veut voter pour les autres concurrents.

Les publicités passent en un temps éclair. On revient rapidement en ondes. L'émission – en direct ! – tire à sa fin. Les résultats des votes ont été compilés. Tous les participants et moi, nous nous retrouvons sur la grande scène du studio Mel's, cordés collés comme si on allait nous mitrailler.

– J'ai peut-être les pieds à l'endroit même où Justin Bieber a mis les pieds ! me chuchote à l'oreille gauche, excitée, Marie-Jeanne.
– Justin Bieber a jamais été invité à *Star Académie* ou à *La Voix* ! me chuchote à l'oreille droite, moqueuse, Flavie.

L'animateur tient trois enveloppes dans sa main. En ouvrant chacune d'elles, il annonce les trois écoles qui ne sont pas « en danger ». Les écoles « sauvées par le public ». Dans un ordre qu'il prétend aléatoire, il nomme :
1- ÉCOLE POLYVALENTE DU SOLEIL PLEIN LA TÊTE (C'était prévisible !)
2- LE JUVÉNAT DES ÉTERNELLES PLEUREUSES (Euh ? Au secours !)
3- COLLÈGE MARIE-DE-LA-PLUS-HAUTE-ESPÉRANCE (Délivrance ! Je ne suis pas la risée du Québec !)

Nous nous remettons à respirer (nous réalisons que nous étions en apnée). Les écoles nommées peuvent libérer le plateau et aller dans le public embrasser leur famille. Ça ressemble beaucoup aux danseurs sauvés de *So you think you can dance.* Tellement que j'ai l'impression que les élus restants, Raphaël-Carl Gamache et Céleste Fournier, vont se mettre à faire un solo dansé de 30 secondes pour prouver qu'ils veulent vraiment rester dans l'aventure. Mais non. Rien de ça. On étire simplement la sauce. On intercale une autre pause publicitaire. Il n'y a que ça, dans cette émission, on dirait!

Mais c'est une pause brève. On revient en studio dans un temps éclair. L'animateur va annoncer la dernière école à être sauvée. Pour l'autre école, ce sera la fin de l'aventure. On connaît la chanson, oui (bon, OK, j'avoue: j'ai un peu trop regardé d'épisodes de *So you think you can dance*). Dans une autre enveloppe qu'on lui tend in extremis, comme si c'était les derniers résultats tout chauds, se trouvent les derniers gagnants. Alors, la quatrième école à être sauvée est:

ÉCOLE IL ÉTAIT MILLE FOIS

Les cris d'euphorie jaillissent, enterrant les soupirs de déception. Peu de partisans du Collège Marie-Laberge dans la salle, sans doute. Mes astres à moi l'avaient prédit: bebye céleste Céleste Fournier et ses acteurs gênants. Trois heures de route pour revenir déconfits dans leur beau Québec...

À l'écran défilent les (courts) meilleurs moments de ce collège auquel nous n'avons pas vraiment eu le temps de nous attacher. Mais avec l'ajout de musique émouvante sur cette succession de scènes, on dirait que ça grossit la perte que ça représente. La gang de Céleste n'avait pas l'air si terrible que ça, finalement. Au fond, sans doute que Céleste était une chic fille. Une jumelle rouquine. Pourquoi ai-je été si dure avec elle ? La téléréalité me rendrait-elle trop compétitive ?

Mais ce soir, plutôt que de m'apitoyer sur le sort de la future astrologue qui a manqué sa *shot*, j'ai de quoi célébrer. Après tout, on m'a sauvée.

Les Québécois ne veulent pas encore me reléguer au fin fond de la classe.

Pour le moment, je vais rester un peu dans la lumière.

SEMAINE 2

JOUR 6

Ce matin, sur Facebook, je lis les messages reçus de plein d'anciens de Pierre-Jean-Jacques. Tous me signifient qu'ils sont fiers de moi. Magali-pas-de-E est du lot, mais je ne peux pas faire autrement que d'entendre un ton plein d'hypocrisie dans cet envoi. Le dernier message qu'elle m'avait envoyé était pourtant un mot d'insulte, tel que me le rappelle ma boîte de réception contenant nos peu d'échanges.

D'autres gens, que je ne connais pas du tout, m'écrivent aussi. Presque tous pour me faire savoir qu'ils ont aimé notre documentaire. Qu'ils l'ont trouvé *nécessaire.* Ou mieux : pour me dire qu'ils m'ont trouvé charmante, très articulée et tout… Mais un homme (un certain Claude Desharnais de Beauharnois) a le culot de m'écrire pour me dire que je ne suis rien qu'une petite boulotte rousse qui aurait intérêt à se mettre au régime et à apprendre à être moins rouge tomate sur une scène. On m'avait prévenue que ça viendrait, mais c'est tout de même douloureux.

– Il t'a écrit quoi ? demande Flavie.

Je soupire fort, mais je cite de mémoire. Je crois que les mots sont déjà imprimés dans mon cœur.

– « Je sais que la télévision grossit, mademoiselle, mais vous auriez intérêt à vous mettre au régime dès maintenant, car à l'écran, vous n'êtes qu'une pauvre petite boulotte rousse. » Quelque chose comme ça.
– « Une pauvre petite boulotte rousse » ?! Non, mais quel porc !
– Je peux pas croire que je sois la seule à avoir reçu un message aussi haineux. Même Marie s'est pas fait dire ça !
– Pourquoi elle se ferait dire ça ?
– Ben… Elle est costaude.
– Marie, costaude ? Je trouve pas.
– Tu la trouves mince ?
– Ben je la trouve super normale…
– Je comprends pas. À Pierre-Jean-Jacques, on la surnommait Marie-Jeanne-Grosse-Jeanne.
– Hahahaha ! Mais c'est ben drôle, ça !
– Ben… non. Pas tellement. C'était un peu méchant, je trouve.
– Bof. Avoue que ça sonne bien. C'est tellement laid, son nom de famille. Grosjean. Je sais pas. Je serais malheureuse de m'appeler comme ça.

Deux choses me troublent. D'abord, que Flavie rie de la sorte de Marie. Et ensuite, qu'elle la trouve normale, corporellement parlant. Je reviens à la charge.

– Mais tu la trouves mince ?

– Correct. Plus qu'en janvier. La première fois que je l'ai vue, oui, je l'ai trouvée costaude, mais elle arrête pas de fondre.

Marie fond ? Je suis sonnée. Il me faut aller valider ça. Je sais qu'elle est à la biblio avec la passionnante (*not*) Milanie en train de faire son travail de français sur *Vipère au poing*. Je signale à Flavie que je dois aller la rejoindre en prétextant un faux rendez-vous, avant notre vraie rencontre de *brainstorming* pour le gala de samedi prochain.

– Eille, je sais que c'est délicat, mais pourrais-tu lui glisser un mot sur son problème d'odeur ?
– Hein ?
– Ben, on s'est parlé un peu, la gang des élus de *M'as-tu vu ?* et moi, et on trouve que son odeur nous gêne. Genre, quand on est dans le local « LGBT et amis », t'as pas remarqué qu'on retenait souvent notre respiration, quand on passe près d'elle ?
– Pour vrai ?
– Ouin, je sais que c'est délicat. C'est toi, son amie la plus proche. Je pense que tu serais la mieux placée pour que ça la blesse pas trop.
– *Shit*, c'est assez humiliant se faire dire de faire attention à son odeur.
– C'est moins pire par une amie.
– J'imagine que t'as raison.
– Moi, si je puais, je voudrais que tu me le dises.

Son argument me convainc. Mais comment je pourrais lui dire ça? « Pardon, mon amie, mais ton odeur laisse à désirer. » Ça ne se dit pas. Je trouverai bien sur place. Cap sur la bibliothèque. En y rentrant, c'est comme si je voyais Marie-Jeanne pour la première fois. Je ne la reconnais pas. Comment ai-je pu fermer les yeux sur mon amie à ce point-là? Elle a vraiment perdu du poids! C'est à se demander où je regardais quand j'étais avec elle.

J'ai le souffle coupé.

– Est-ce que t'as perdu du poids?
– Bon, enfin tu le remarques! Ça t'en a pris, du temps! rigole sans méchanceté Marie.
– Mais comment t'as fait ça?
– Ah, c'est mon secret!
– Je t'en prie. Il faut que tu me le dises!
– Hum… Un jour, si t'es fine.

Oups. Je doute avoir été fine, depuis une semaine. Je préfère sourire sottement. Mais tout de même moins sottement que sa partenaire de travail de français. À côté de nous, Milanie semble attendre patiemment qu'on lui injecte une dose d'adrénaline à coup d'Épipen pour réagir. Mon père a un mot pour ça: *apathique.* Eh bien, Milanie est dangereusement apathique. En sa présence, on aurait le réflexe de se faire aller le réanimateur cardiaque partout sur elle.

Devant son importante perte de poids, j'ai le réflexe de serrer Marie dans mes bras, comme pour célébrer. Elle semble heureuse de mon geste chaleureux. Je prends une grande inspiration, au creux de son épaule, et je constate qu'elle ne sent effectivement pas particulièrement bon. Elle sent un peu la sueur. Eh, *boy*.

Je ne réussis pas à lui dire quoi que ce soit. De toute façon, je suis trop heureuse pour son nouveau tour de taille. Heureuse, mais aussi un tout petit peu jalouse. Mon père me dit toujours que ce n'est pas un sentiment très noble, ça, la jalousie. Surtout envers ses amis.

Oups.

*

Dans le local « LGBT et amis », le ton monte, même si la caméra est là (c'est comme si on finissait par l'oublier un peu, elle). Le *brainstorm* est moins agréable que celui de la semaine dernière. Tout le monde s'entend pour faire un nouveau documentaire, mais il n'y a pas de consensus sur le sujet. Marie-Jeanne vient de lancer une belle idée : puisque sa grand-mère est décédée l'été dernier dans la plus grande indifférence, ayant peu d'amis et peu de famille, elle aimerait qu'on traite de la solitude des personnes âgées. Olivier adore l'idée. Il nous rappelle qu'il y a un centre de personnes en perte d'autonomie juste à côté de notre collège, mais qu'il n'y a aucun lien nous rattachant à eux.

– Ils sont à dix mètres de l'école et nous, on les ignore. Y a aucun pont entre leur centre et notre collège ; c'est trop dommage. On pourrait, je sais pas, on pourrait… organiser des séances de lecture. On leur lirait nos livres préférés et leurs livres préférés. Et on en discuterait…

Marie-Jeanne est ravie. Francesca et Debra aussi. Mais si Tristan et moi ne nous prononçons pas encore, Flavie est clairement moins enthousiaste. Elle trouve l'idée peu séduisante.

– Je veux ben croire qu'on veut pas être racoleur, mais y a des limites. Je veux pas dire que de parler des personnes âgées c'est plate, mais il me semble que c'est super loin de nous, non ? C'est pas notre réalité.
– Tant mieux, si c'est loin de nous, dit Olivier. À nous de nous rapprocher d'eux.
– Tu proposes quoi sinon, Flavie ? demande Marie.
– Et si on faisait un documentaire sur les avantages d'être sur Facebook ? Il me semble que c'est plus séduisant et actuel que la solitude des petits vieux.

Silence d'incompréhension. Tristan est le premier à lui demander des précisions.

– Il me semble que j'arrête pas de lire des trucs négatifs sur ça. On prétend qu'en allant là-dessus, on fait ou bien de l'exhibitionnisme, ou bien du voyeurisme. Et surtout, on dit que les ados d'aujourd'hui sont la « génération Facebook ». Qu'on a mille amis virtuels, mais aucun réel. Qu'on communique plus aisément, mais qu'on se dit rien de consistant. On sait tous que c'est pas vrai. Faisons un reportage pour redonner ses lettres de noblesse à Facebook. On a une belle occasion de montrer que c'est plus qu'un passe-temps. Qu'on peut vraiment tisser des liens. Qu'on peut conserver des amitiés quand les gens vivent loin de nous. Et qu'on peut aussi retrouver des gens.

Flavie nous regarde, Francesca, Debra, Tristan et moi, espérant trouver en nous des alliés. Mais personne ne se prononce. Il règne encore un silence. La caméra doit se délecter de ce froid. C'est Flavie qui le rompt :

– Et si on votait ? Pour que ce soit démocratique. Et la semaine prochaine, on pourrait faire l'activité qu'on a pas retenue.
– Excellent, dit Tristan.

Le vote se fait. L'idée de Flavie récolte deux voix (celles de Francesca et la sienne), alors que Marie-Jeanne reçoit toutes les autres. Je suis la seule à m'abstenir de voter. Je devrais me commettre, je sais, mais je me sens incapable de le faire, pour ne décevoir aucune de mes deux amies.

Flavie est fabuleuse. Je ne sais pas si c'est à cause de la présence des caméras, mais elle prend la défaite avec un sourire sincère et lance immédiatement plein d'idées intéressantes sur le sujet retenu démocratiquement : le lien avec nos aînés. Elle propose d'ailleurs qu'on joigne l'utile à l'agréable.

– On a tous des lectures obligatoires, dans le cours de français. Nous, par exemple, on travaille sur *Vipère au poing* d'Hervé Bazin. Et si on en profitait pour leur en lire des extraits ? Peut-être que leur sagesse va éclairer nos lectures, nous permettre de comprendre autre chose que ce qu'on voit spontanément ?

Nous trouvons tous l'idée géniale. Dès le lendemain matin, Olivier se charge de parler à monsieur Mignot pour créer son fameux pont entre les deux générations vivant côte à côte, sur la même rue : les jeunes du Collège Marie-de-la-plus-Haute-Espérance et les vieux du Centre d'hébergement les Grandes Espérances.

L'espérance est ce qui nous lie, les plus jeunes comme les plus vieux. Nous espérons nous faire une place au soleil. Et eux, garder la leur.

Nous sortons du local, galvanisés par la discussion. Je rattrape Tristan pour lui remettre ses baguettes de *drum* et sa veste en coton ouaté.

– Tu les as oubliées chez Flavie, l'autre soir. T'as dû trouver ça long, tout le week-end, sans baguettes.

Tristan me sourit – un sourire craquant – en sortant d'autres baguettes de son sac.

– J'en ai des tonnes !
– Oh.

– La veste, par contre, je m'en ennuyais. C'est ma préférée.

En disant ça, il hume son vêtement, comme on humerait un vieux châle chargé d'odeurs précieuses.

– Elle sent pas comme d'habitude.
– Oups. C'est de ma faute. Je l'ai mise dans mes affaires pendant tout le week-end.
– Pas grave. Elle sent super bon. Elle sent toi.

Je souris comme une cruche, mais ne dis rien. Fiou. Il ignore que j'ai passé la journée d'hier à porter sa veste, chez ma mère, en me faisant croire que c'était parce que j'avais froid. Heureusement.

*

Nous sommes évachées avec une grâce limitée sur le grand lit de reine de Flavie.

– T'es pas déçue que ton idée soit pas passée ? que je demande à mon amie.
– Pantoute. J'y ai repensé, et c'est une bonne idée, les petits vieux. Ça va être bon pour notre capital de sympathie. Les téléspectateurs vont être touchés.

Si Flavie s'exprime ainsi, c'est certainement parce que nous sommes dans l'intimité de sa chambre, loin des caméras. Je saisis petit à petit qu'il y a deux Flavie. Celle en public (sociable, aimant tout le monde) et celle en privée (plus mordante et plus ratoureuse). J'aime les deux à égalité.

Ce soir, une fois de plus, c'est chez elle que j'ai regardé *M'as-tu vu?*, après avoir promis à Marie-Jeanne de me pointer chez elle le lendemain soir. L'épisode est un peu ennuyant. Il consacre trop de temps au *best of* de Céleste Fournier. C'est ordinaire, les *best of*, quand il n'y a rien eu de meilleur dans le parcours de quelqu'un. Un *worst of* serait plus approprié.

– Tu l'as trouvé comment, Maxime? Il est charmant, hein?
– Maxiiime? qu'elle répète, sans savoir de qui je parle.
– Mon chum, Flavie!
– Ah! Oui, oui. Il est charmant. Mais il a l'air gêné.
– Oh non. Il l'est pas. Je pense qu'il était juste un peu intimidé de se faire présenter à tant de gens, hier soir.
– Je suis pas une fille gênante, pourtant! clame la flamboyante Flavie Ross. Je trouve quand même que tu *fites* plus avec le beau Tristan.

En guise de réponse, je me contente de lui lancer un de ses oreillers à la tête, ce qui déclenche un de ses plus beaux rires. Sur ce, elle met un CD de Leonard Cohen, un chanteur à la grosse voix caverneuse. Flavie a des goûts uniques et matures. Elle déteste Justin Bieber et n'en pince que pour les vieux chanteurs, Leonard Cohen en tête. Elle collectionne toutes les versions de sa chanson « Hallelujah ». Elle me les fait écouter sur YouTube. Celle de Rufus Wainwright, celle de Jeff

Buckley, celle de Bon Jovi, celle de Justin Timberlake et Matt Morris et même celle de Louis Delort, un participant français de l'émission *The Voice* en France. C'est vraiment beau. On en a les larmes aux yeux. En farfouillant de lien en lien, Flavie déniche l'« Alléluia » de Donald Lautrec. Ce n'est absolument pas la même chanson ! Nous l'écoutons en pouffant de rire. Il est bon de passer des larmes aux rires. Il me semble que c'est ça la vie : passer de l'un à l'autre.

– Trêve de plaisanterie, Cyb. Travaillons un peu, si on veut gagner.

Première fois qu'elle m'appelle Cyb. Ça me fait un drôle d'effet. Un effet heureux. Je me sens de plus en plus proche de la fille la plus sensationnelle de mon école sensationnelle.

Plutôt que d'avancer dans notre travail sur *Vipère au poing*, nous revotons pour notre école avec les 111 adresses bidon qu'on s'est créées. Mais ce n'est pas suffisant pour la reine du *networking* de la Montérégie.

– Il faut voir nos réseaux d'amis comme une espèce de toile d'araignée. Ou mieux, comme un réseau routier, Cyb.
– Un réseau routier ?
– On va se faire de la pub sur Facebook et on va demander à nos amis de « partager » nos statuts avec leurs amis, qui à leur tour vont les partager avec leurs

amis. Et ainsi de suite. À l'infini. C'est comme ça qu'on va s'assurer de gagner *M'as-tu vu ?*. Tu comprends?
– Oui, oui.

Je comprends que c'est intense, ce qu'il faut faire pour parvenir à ses fins! Je me demande si Magali-pas-de-E connaissait ces méthodes de réseautage.

– Notre plus gros compétiteur, c'est Chaudière-Appalaches. Sais-tu pourquoi?
– Parce que Taz est cool?
– *Yes*, madame, mais pas juste ça. C'est surtout parce qu'il vient d'une région. Les gens de région ont un plus grand sentiment d'appartenance que ceux des grandes villes. C'est pour ça qu'après la petite astrologue de pacotille de Québec, c'est le petit politicien de Montréal qui va se faire éliminer.
– Tu penses?
– J'en suis certaine. Les Montréalais se foutent de cette école. Et RC-Cola-Gamache a autant de charme qu'un pot de margarine! clame Flavie.
– C'est vrai qu'il incarne pas la définition première du mot *charisme*.
– Je te le dis, Cyb: les régions les plus éloignées sont les plus dangereuses. Chaudière-Appalaches et le Bas St-Laurent. C'est eux autres, nos ennemis.

Ennemis? Le mot est pas mal fort. Mais je ne veux pas éteindre la passion de mon amie.

Petit à petit, je sens que Flavie me contamine. Je vais peut-être finir par me transformer en fille sociable et douée pour l'amitié ?

Peut-être que moi aussi, je suis sur le bord d'être sensationnelle ?

JOUR 7

Sur le chemin de l'école, ce matin, le vent froid charrie un parfum lourd et étouffant. C'est évident que Marie-Jeanne empeste le *Girlfriend* de Justin Bieber (dont elle ne parle étonnamment plus beaucoup). Non, elle n'en a que pour son beau Mohawk.

– Il ressemble à un gros cône orange avec son dossard fluorescent. On le voit venir de loin. Il brille dans le noir pour éviter qu'une auto le frappe. C'est un métier très dangereux. Et super demandant. Je me suis informée. Leur *run* dure neuf heures et s'étire sur dix kilomètres. En dessous de son manteau, je suis sûre que ses bras sont magnifiques. Il doit être capable de me soulever. Pis de me faire danser. Si je m'écoutais, je me mettrais en boule dans un sac noir, pis je me déposerais au bord du chemin. Mon éboueur me ferait virevolter dans l'air. Ce serait beau.
– Ce serait moins beau quand tu atterriras dans la gueule du camion !
– Bof. Je crierais et il viendrait me délivrer du sac noir. Et pour m'avoir sauvée, je lui offrirais ma virginité.

Euh… Qu'est-ce qui se passe avec Marie ?! Elle a toujours été un peu étrange, mais là, ça frôle la folie son affaire !

– Dans la benne à ordures ? que je lui demande.
– Pourquoi pas ? Oui, mon Mohawk me ferait l'amour parmi les déchets de mon voisinage.

– Euh… ça c'est très *weird*, Marie… Et pis l'odeur te gênerait, toi qui tripes tellement sur les parfums!
– Je tripe plus sur les odeurs.
– Comment ça?!
– Je te le dis si tu me promets de pas le répéter à personne.
– C'est sûr.
– Surtout pas à Flavie.
– Ben non.

Marie-Jeanne prend une grande inspiration, comme si elle allait m'avouer quelque chose de terrible. Genre qu'elle a assassiné quelqu'un par inadvertance ou qu'elle souffre d'un cancer incurable.

– J'ai perdu l'odorat au début du mois de février.

Une claque ne me soufflerait pas davantage.

– Quoi?!
– J'ai perdu l'odorat. Je sens plus rien, précise Marie.
– Comment ça?!
– C'est arrivé deux semaines avant la Saint-Valentin. J'étais démoralisée quand je voyais les décorations de petits cœurs partout dans la cafétéria. Je pressentais que les plus beaux gars allaient envoyer des fleurs, des bonbons ou des chocolats à toutes les filles de l'école, sauf à moi. Donc, j'ai eu l'idée de… comment je dirais ben ça… de *maximiser* ma beauté, pour me trouver un Valentin. Ouin. Ça fait que j'ai utilisé une crème dépilatoire pour m'enlever les poils du nez. Une crème

très, très efficace, mettons. Ça m'a brûlé les glandes dans le nez. Je sens plus rien depuis ce temps-là.
– T'es sérieuse?
– Très sérieuse. Je pensais que c'était une crème à Patricia. Mais c'était une crème à Richard, pour son dos. Très puissante. Trop puissante. Il m'a emmenée à la clinique.
– Comment tu t'es mis ça?
– J'ai versé ça à l'aide d'un entonnoir. Ça coulait direct dans mes narines.
– Ark!!!
– Oui, ark.
– Mais pourquoi tu m'as pas conté ça avant?
– C'est assez gênant. Je voulais pas que tu saches que j'avais des poils de nez.
– Mais on s'en fout de tes poils de nez! Ça a dû faire super mal.
– Atrocement mal. Mon nez m'a chauffé pendant une semaine. Je pouvais pu me moucher! Mais au moins, j'ai pus de poils au nez.
– Donc, si tu sens plus rien, tu te mets plus de parfum?
– Des fois. Mais c'est dur à évaluer. J'ai peur d'en mettre trop. Genre, aujourd'hui, j'en ai mis. Trouves-tu que j'en ai trop mis?
– Hum... c'est dur à dire. Je dirais que t'aurais pu y aller un peu plus mollo.
– Merde. Merci de ta franchise. Je vais prendre une douche en revenant à la maison.
– Ou tu peux passer à la toilette en arrivant à l'école pour enlever le surplus, si tu veux.
– Oh *shit*! Je sens fort à ce point-là?!

– Non, non…

Toute la journée, je m'imagine Marie se brûler les glandes olfactives parce qu'elle se verse généreusement un genre de *Veet* dans le nez ! L'image me perturbe pas mal, mais j'essaie de me consacrer aux vieillards que nous visitons aujourd'hui. Monsieur Mignot a accepté notre projet de filmer les petits vieux, pour parler comme Flavie. La madame du centre d'hébergement a accepté elle aussi. Les deux ont trouvé que c'était un beau projet et qu'il était temps qu'un pont se bâtisse entre les deux institutions voisines.

En ce moment, Tristan filme Debra qui fait la lecture à une vieille dame. C'est un livre qu'elle a choisi dans une liste, pour un compte rendu oral. Ça s'appelle *Désamours* et c'est écrit par Geneviève Robitaille, une écrivaine québécoise. C'est un récit, pas un roman. L'auteure raconte sa propre vie, sa propre solitude. Atteinte d'arthrite rhumatoïde sévère, elle perd peu à peu l'usage de la vue et de ses jambes, mais sa joie d'être en vie est intacte. Sa maladie dégénérative l'écarte de l'amour. Dans le livre, elle tente donc de répondre à cette question cruciale : « Une vie privée d'amour vaut-elle la peine d'être vécue ? » Excellente question !

À voix haute, avec sa belle voix d'actrice, Debra lit un passage très touchant : « Maintenant que ma vie m'a assise dans une chaise roulante, pour gagner de la vitesse et de la légèreté, après des années d'acharnement debout, maintenant que j'ai eu des frousses épuisantes, que je suis apaisée par une accalmie, une constance, un vieillissement, que mes yeux voilés voient encore, que mon corps cassé vibre encore, que je puis avouer mon bonheur, je me retrouve heureuse devant la neige abondante que je devine par ma fenêtre… » La caméra passe de la bouche de Debra aux personnes âgées qui l'écoutent attentivement. Une parmi le lot est en larmes. La vieille femme, elle-même confinée dans un fauteuil roulant, pleure silencieusement. Olivier, qui coordonne le tournage, la questionne.

– Ça remue quelque chose en vous, madame?

Et là, on assiste à un magnifique moment. Florentine (c'est le nom de la vieille dame) nous apprend que plusieurs d'entre eux ont perdu leur amour. Ils viennent vivre leur deuil en gang, ici. Ça atténue le chagrin et la solitude, qu'elle prétend. C'est ce qu'elle vit, Florentine. Pendant un peu plus de 67 ans, elle a partagé sa vie avec un homme, un certain Valentin. Soixante-sept ans!!! Il est décédé l'année dernière. À 86 ans, elle vient de mettre les pieds ici, au centre d'hébergement (en fait, pour être plus exacte, disons qu'elle y a mis les roues de son fauteuil roulant…). Elle se sent moins seule, même si l'amour de sa vie l'a désertée. Car le départ de Valentin a laissé un grand vide en elle. Il veillait sur elle et elle veillait sur lui.

– Qui veille sur moi, à présent? demande Florentine, pleine de douceur.

Une autre vieille (bien sur ses jambes, elle) lui flatte le dos, pour signifier sa présence. L'air de dire : pourquoi pas moi, ta nouvelle amie ?

Son témoignage me touche beaucoup. Pour masquer les larmes qui me coulent des yeux, je fais semblant de bâiller. Alors qu'Olivier, Tristan et le reste de l'équipe tressaillent de joie et de compassion, pensant sans doute aux formidables images que cela ajoutera à notre documentaire, je me mets à penser très fort à Maxime. Que deviendrais-je sans lui ? Je ne sais pas. Il est tellement important à mes yeux. Et pourtant, nous n'avons pas passé 67 ans ensemble. En fait, nous avons à peine passé 67 jours ensemble !

D'ailleurs, depuis combien de temps sommes-nous ensemble, Max et moi ? Je calcule rapidement et constate que ça fait aujourd'hui trois mois pile ! Nous sommes ensemble depuis le 26 décembre et on est le 26 mars. Comment ai-je pu ne pas être plus alerte ? Sans l'émouvant témoignage de Florentine, m'en seraisje souvenue ? Je ne sais pas. C'est comme si *M'as-tu vu ?* prenait trop de place dans ma tête, ces jours-ci.

Eh, *boboy*, Cybèle. Pas fort. Je veux préserver mon couple. Je veux moi aussi me rendre à 67 ans de vie à deux. Je veux que Maxime devienne mon Valentin veillant sur moi, et que je sois sa Florentine veillant sur lui. Même quand nous serons tout ratatinés. Surtout quand nous serons ratatinés.

Oui. Un jour, dans très longtemps, je veux être ratatinée avec Maxime Daneau.

*

Je passe la soirée avec mon chum. Il s'en souvenait, lui, de nos trois mois de couple. En rentrant chez mon père, un message de célébration m'attendait sur la page de mon mur Facebook. J'ai fait comme si je n'avais pas oublié en écrivant hypocritement « Oh ! tu t'en es souvenu ?! Tu es fabuleux ! » Eh, *boboy.*

Je téléphone à Marie-Jeanne qui, heureusement, n'est pas fâchée que je la décommande. Si elle avait un amoureux, elle ferait la même chose, qu'elle me dit. Mais son Mohawk de vidangeur ne sait toujours pas qu'elle existe.

– On remet ça à demain, par exemple ?
– Ben oui, ben oui, que je la rassure.
– Donc, tu vas manquer l'épisode de ce soir ?
– Y a pas juste *M'as-tu vu ?* dans ma vie, Marie !
– T'es chanceuse. J'aimerais ça avoir un chum pis faire autre chose que de regarder des téléréalités… Une chance que j'ai mon Mohawk. Richard est au courant. Il dit que je suis comme une princesse amoureuse d'un simple paysan.
– Il a dit ça ?
– Oui. Mais j'ai des origines modestes. C'est pour ça que je m'intéresse aux vidangeurs, je pense.
– Ça se peut, que je lui réponds, amusée.

– J'espère que ce sera mon Mohawk qui continuera à ramasser nos poubelles ce printemps et cet été. Je veux voir s'il a la craque de fesse réglementaire !
– C'est pas un plombier, ton Mohawk, Marie, c'est un vidangeur.
– Bof... Je suis sûre que la craque de fesses d'un vidangeur ressemble à celle d'un plombier !
– T'as pas de bon sens, Marie ! que je lui dis en riant.
– Je sais.
– On remet ça, notre soirée !
– Hum hum. J'imagine, me dit-elle.

Puisque son père travaille ce soir et qu'il doit donc garder Antonin, Maxime m'invite à passer la soirée chez lui. Il a loué un vieux film de filles de 2004, soit *Mean Girls* (*Méchantes ados*) avec l'actrice Lindsay Lohan, avant qu'elle devienne un cas perdu, comme s'enligne le Bieber de Marie. Antonin regarde le film avec nous. Je me campe dans le divan, entre les deux frères affectueux me collant de chaque côté.

Je me sens aimée ce soir.

Mais tout ne peut pas être parfait. J'ai beau être divertie par le film et rassurée par la présence de deux charmants gars autour de moi, je ne peux m'empêcher de penser que je manque actuellement, et pour la première fois de la saison, un épisode de *M'as-tu-vu ?*.

Eh, *boy*.

JOUR 8

Les fils électriques d'Hydro Québec sont tellement alourdis par le givre qu'on pourrait jouer au limbo ! Papa a peur que les pylônes plient en deux et qu'on soit encore plongés dans le noir, comme pendant la crise du verglas en 1998, l'année de ma naissance. Je n'ai pas connu cette crise et n'ai pas très envie de la connaître non plus. Ne plus avoir de courant serait une catastrophe pour la téléréalité.

Sur l'heure du midi, nous retournons voir les charmants aînés d'à côté pour poursuivre notre documentaire. Nous lisons des extraits de nos livres préférés, mais aussi, puisque les yeux de nos voisins sont fatigués, des leurs. En gros, nous faisons de belles découvertes. Tout ça filmé à la fois par Tristan (pour en faire un émouvant documentaire ce samedi) et par l'équipe de *M'as-tu vu ?* (pour en faire un mielleux épisode de téléréalité demain soir).

Nous revenons enthousiastes, chacun dans nos classes respectives. Dans le cours de français, toute la classe se met en équipe de deux pour travailler sur l'analyse de *Vipère au poing*. Flavie a collé son pupitre contre le mien. Le caméraman et le preneur de sons sont dans une autre classe (celle de Debra en secondaire 2, je crois), ce qui permet à mon amie de me faire une confidence très drôle.

– Hier soir, j'avais mon cours de danse, mais j'avais oublié mes leggings. Fait que j'ai dansé en jeans. Pis comme je suis plus flexible que mon pantalon, ben, je l'ai fendu à la fourche. Mais j'ai fait ça dans l'ombre, dignement. Comme les oiseaux, quand ils meurent.

Flavie est la fille la plus drôle que je connaisse. Ex equo avec Marie-Jeanne, disons. En fait, elles ont un humour différent. Elle est moins décalée que Marie. Elle profite aussi de l'absence des caméras pour faire le point, en ne chuchotant pas si bas que ça.

– Pis, tu l'as-tu dit à Marie-Jeanne-Grosse-Jeanne que sa senteur est pas terrible ?
– Moins fort, Flavie ! Marie est là.
– Est dans le fond de la classe. Elle entend rien. Pis ? Tu lui as dit ?
– Humm… pas eu le temps, encore.
– Tarde pas trop.
– Mais j'ai l'impression que ça s'est réglé un peu, non ?
– Ah oui ? Tu trouves ? Peut-être, mais là, y a autre chose.
– Autre chose ?

Flavie prend une grande inspiration.

– As-tu déjà remarqué que Marie-Jeanne faisait quelque chose de bizarre ?
– Marie-Jeanne fait plein d'affaires bizarres ! que je réponds en riant.

Mais Flavie ne rit pas.

– Je pense que ton amie Marie-Jeanne mange ses crottes de nez.
– Hein ???
– T'as jamais remarqué ? Elle l'a même fait tantôt, devant les petits vieux !
– Non. Mais c'est quand même pas si grave que ça…
– C'est assez dégueu, Cybèle, insiste Flavie. Avoue !
– J'avoue.

Je ne suis pas outrée. Je grossis ma réaction pour plaire à Flavie. OK, si c'est vrai, ce n'est pas séduisant, c'est clair. Mais ce n'est vraiment pas un cas pour me faire vomir mon dîner. Néanmoins, je m'engage encore une fois à la ramener à l'ordre.

Mais ce n'est pas ce soir que je lui ferai une leçon d'hygiène, car ce soir aussi, je me vois obligée de la décommander. Je n'y peux rien ; mon père en a assez que je passe mes soirées ailleurs qu'à la maison. Il a peur que mes sorties et la téléréalité nuisent à mon rendement académique. Puisque mon père méprise les despotes, il ne m'ordonne pas de rester avec Marie-Annick et lui, mais il me le suggère très fortement. Alors, naturellement, je décommande Marie. Pour le reste de la semaine, je vais me montrer bonne fille.

Mon papa est très nerveux, ces jours-ci. Il a reçu de très mauvaises critiques pour *Anastasie*, son dernier roman. En fait, c'est lui qui dit qu'elles sont mauvaises. Moi, je les trouve plutôt moyennes, sans plus. Des critiques *mitigées*. C'est ça le mot approprié. Des critiques *mi-figue mi-raisin.* Mais mon père en est atterré. Il a peur que ça affecte les ventes. Moi, je trouve qu'il ne devrait pas s'en faire. Je l'ai adoré, son livre ! D'autant plus que c'est à moi qu'il le dédicace. Le premier roman, paru il y a trois ans, était dédié à ma mère (à l'époque, ils étaient toujours ensemble). Celui-ci m'est dédicacé, juste à moi. À la septième page, on peut lire : *À Cybèle, ma belle princesse à moi.* D'autres enfants pourraient être gênés, pas moi. Je suis seulement touchée. Touchée de voir mon nom dans une œuvre aussi forte ! Touchée de savoir que j'existerai à jamais dans les premières pages d'un grand livre.

C'est comme si mon nom à l'encre noire sur papier blanc me rendait plus vivante.

On se fout des critiques.

Ce soir, après avoir regardé le dernier épisode (plutôt banal) de *M'as-tu vu ?* seule au salon, mais avec Flavie sur la ligne de téléphone commentant tout en direct, je tue le temps en répondant à l'auteur du commentaire haineux reçu lundi matin sur mon compte Facebook.

« J'ai bien regardé vos nombreuses photos Facebook accessibles à tous et je peux affirmer, hors de tous doutes, que vous êtes un gros porc.
Bien à vous,
La pauvre petite boulotte rousse »

On se fout des critiques. Mais leur répondre fait un bien fou.

La pauvre petite boulotte va bien dormir ce soir.

JOUR 9

Les arbres frémissent encore, malgré le givre. L'hiver ne semble pas vouloir s'en aller, cette année. La porte de l'école n'est pas encore ouverte. On doit attendre et prendre son froid en patience. On est tous dans la cour de récré à se les geler, dans nos manteaux coquets d'automne ou de printemps, c'est selon. Des manteaux hors-saison. On piétine pour chasser le froid. On procède avec les moyens du bord.

Les portent finissent par s'ouvrir. Les cours commencent, mais m'intéressent moins que les plages horaires que monsieur Mignot nous offre gracieusement pour finaliser notre documentaire, question de faire bonne figure une fois de plus au gala de samedi soir prochain.

Nous retournons donc au Centre d'hébergement les Grandes Espérances. Les personnes âgées sont d'une impressionnante générosité. Pendant que Tristan fait de beaux plans esthétiques sur les mains pleines de veines bleues de nos hôtes en fauteuils roulants, je surprends Marie-Jeanne, en retrait, en train de se fouiller dans le nez. Elle sort d'une narine un doigt sur lequel brille un trésor peu ragoûtant. Dans un naturel désarmant, mon amie porte son doigt à sa bouche et avale sa crotte de nez.

Eh, *boboy*, Marie doit penser que personne ne la voit. Je la ramène à la réalité, dans la civilisation, là où on évite d'avaler ses crottes de nez.

– Marie, je t'ai prise la main dans le sac…
– Qu'est-ce que tu veux dire ?
– Ben… tu sais.

Je fais un geste éloquent, totalement gênée.

– Ah, manger mes crottes de nez ? Mais c'était voulu !
– Voulu ? que je répète, confuse.
– Tu sais pas que c'est bien de manger ses crottes de nez, Cyb ?

Je fais une face de fille qui demande à être sérieusement éclairée.

– Je te niaise pas ! J'ai lu un article là-dessus, récemment. Il y a un prof en biochimie de l'université de la Saskatchewan (Scott Napper, qu'il s'appelle) qui clame qu'il y a plein de bénéfices pour la santé à manger ses crottes de nez. Je l'ai toujours senti. Maintenant que j'ai la confirmation que c'est bon pour moi, je me cache plus.

Je fais à présent une face de fille qui ne sait pas comment réagir.

– Scott Napper dit que notre système nous pousse à faire divers gestes parce qu'ils sont finalement bons pour nous. C'est pour ça qu'un enfant se cure le nez et en mange spontanément les crottes.
– Mais… Mais Marie… C'est dégueu !

– Non, c'est pas dégueu ! C'est naturel. Le prof dit que nos crottes emprisonnent des germes et les empêchent de se rendre ailleurs dans le corps, mais que si nous les consommons, ils peuvent aider à solidifier notre système immunitaire. C'est comme les vaccins. On te rentre le virus dans le corps pour le combattre. Pour te rendre plus fort. Moi, en mangeant mes crottes de nez, je deviens plus forte.

Je maintiens ma face stupéfaite.

– Dans le fond, faudrait que les parents arrêtent de se fâcher quand leurs enfants se décrottent le nez, décrète Marie-Jeanne, comme si elle était une première ministre.

Je fais une face de fille qui est désolée ; je crois que je suis en train de perdre Marie. Depuis qu'elle a perdu du poids, elle devient de plus en plus étrange.

JOUR 10 (SAMEDI)

Nous sommes de retour au studio Mel's pour le deuxième gala. Notre nervosité est à son paroxysme. C'est comme si on ne s'y habituait jamais. Je me demande comment font les gens qui passent leur temps à émerger de la coulisse pour venir sur une scène affronter un public ET une caméra. L'animateur, par exemple, a l'air très détendu. Il vient nous faire des blagues pour nous le prouver.

Flavie flirte avec lui. Avec son iPhone, elle me demande de les photographier ensemble. Pauvre elle. Je suis d'une nullité absolue avec un tel objet (évidemment, si j'en possédais un, je ne serais pas un cas perdu…). Après avoir appuyé partout, sauf sur le bon bouton, je finis par saisir et je prends trois photos vaguement décentrées et floues. Flavie n'est pas fâchée. L'idée d'en publier une – la plus réussie – sur les réseaux sociaux la galvanise. La plus ou moins sincère complicité entre Flavie Ross et l'animateur de *M'as-tu vu ?* sera étalée, affichée, commentée et mille fois *likée* sur Facebook. Je suis un peu jalouse, je pense. J'aimerais moi aussi avoir un iPhone pour m'immortaliser aux côtés d'un animateur-humoriste branché et le diffuser pompeusement sur internet. La semaine prochaine, si notre école est encore dans la course, je demanderai à Flavie de me tirer le portrait avec lui moi aussi !

En coulisse, Debra pâlit devant le beau Taz et son tatouage, ce qui fait beaucoup rire Francesca, probablement trop jeune pour éprouver ce genre de désir amoureux.

– Eille, Francesca, t'as jamais pensé te faire tatouer la signature de ta mère quelque part sur ton corps, comme Taz a fait avec son grand frère ? demande Debra.
– Euh, non.
– Moi, en tout cas, regarder Taz trop longtemps me donne envie de me faire tatouer son nom !

Debra me fait bien rire ! Comme Flavie, Olivier, Tristan, Francesca et Marie. En fait, je dois dire que je me sens réellement appartenir à une bande. Je sens que je suis parmi les miens. Des élèves drôles, simples, pas superficiels. Faire partie de ce groupe, c'est une sensation très agréable !

Dans le public, les familles et les proches sont là pour nous encourager. Je distingue, dans la section allouée à mon collège, monsieur Mignot, Damian (l'amoureux d'Olivier), les élégantes mères de Flavie et de Debra, la grande sœur universitaire de Tristan, le père colombien de Francesca, ainsi que Patricia et Richard-sirop-pour-la-toux-grasse. Et pour moi seulement sont venus ma mère, Maxime, et même Antonin !

Nous sommes les premiers à casser la glace, cette semaine. Je préfère ça ainsi. Le supplice durera moins longtemps. C'est comme pour les exposés oraux : je préfère toujours passer rapidement pour me débarrasser du stress. Une fois notre présentation faite, j'ose espérer que mon pouls va décélérer. Sinon, je suis en bonne voie pour faire une crise cardiaque avant mes 16 ans !

À l'écran est projeté notre documentaire traitant de la solitude des personnes âgées. Le talentueux Tristan a fait, une fois de plus, des cadrages de qualité et un montage captivant, présentant des protagonistes qui jouent aux cartes ou aux poches avec la même ferveur qu'un ado qui ferait du skate sur une rampe d'escalier ! Intitulé *Pour que l'espérance persiste* (c'est moi qui ai trouvé le titre et je suis pas mal fière de mon coup !), notre reportage se termine sur la magnifique scène où la veuve octogénaire, Florentine, s'ouvre le cœur en parlant de Valentin, son amour en allé. Tristan a eu l'intelligence de finir sur une note bouleversante. Dans le public, on sent une onde de compassion et d'émotion. On dirait bien qu'on a visé dans le mille !

L'animateur brandit à nouveau son micro sous mon nez. J'ai préparé ma réplique habilement: « Avec *Pour que l'espérance persiste*, nous voulions nous rapprocher du centre d'hébergement pour personnes âgées. Nous avons réalisé qu'elles sont juste à côté de l'école, mais qu'il n'y avait aucun pont entre les deux établissements. Nous trouvions ça trop dommage. Nous avons donc organisé des séances de lecture. Nous avons lu nos livres préférés et eux en ont fait autant. Ça a été de très beaux échanges. *Pour que l'espérance persiste*, c'est la rencontre de deux générations (les jeunes du Collège Marie-de-la-plus-Haute-Espérance et les personnes plus âgées du

Centre d'hébergement les Grandes Espérances) portées par la même espérance. »

Portées par la même espérance. *Wow.*

Je suis particulièrement heureuse de ma dernière phrase. Elle est toute fabriquée, oui, mais elle est quand même bien tournée ! C'est mon père qui serait fier, enfin. En tout cas, ça a fait un effet bœuf dans le public. Pendant que l'animateur rappelle aux téléspectateurs le numéro à appeler pour sauver mon collège, je reçois presque un tonnerre d'applaudissements !

Puis, viennent les autres écoles.

D'abord, les deux Éternelles Pleureuses. Je crois qu'elles se sont fait dire qu'elles manquaient de conscience sociale après le premier gala. Toujours est-il qu'elles ont rajusté le tir en organisant un agressant projet de vente porte-à-porte. Mais pas pour vendre du chocolat ! Non, non. KellyAnn et Karianne se sont montrées créatives (*not*) en inventant un curieux trafic de signets faits maison. Mais pas de beaux signets dessinés à la main ! Non, non. Les deux Éternelles Pleureuses ont simplement choisi de prendre des œuvres qu'elles trouvaient (à tort) jolies, dénichées sur Google images, avant de les imprimer sur du papier carton. Leurs signets mal coupés et mal imprimés étaient vendus 1 $ l'unité (taxes incluses), et comme les gens du Bas-Saint-Laurent sont généreux, elles ont réussi à amasser la surprenante somme de 669 $. Et à quelle œuvre caritative va tout cet argent? La fondation Mira. Est-ce parce que quelqu'un est aveugle dans leur entourage? Non, non. Juste parce que KellyAnn et Karianne trouvent ça bien bien triste que des gens ne puissent pas voir les beaux signets qu'elles ont fabriqués avec amour. Parlez-moi de ça, un beau projet artistique de même (sentir l'ironie, ici).

Vient ensuite l'école Il était mille fois, menée par le drabe Raphaël-Carl, perdu dans son grand veston. Il ferait un charmant couple avec Milanie-Mononucléose, lui. Nette amélioration de son côté, du moins : au cours de la semaine, il a orchestré des compétitions de Génie en herbe dans son école, puis dans d'autres écoles montréalaises. Pour épater la galerie, quatre de ses collègues de classe, tous dans des vêtements mal ajustés, le rejoignent sur scène pour livrer une étrange compétition de Génie en herbe contre cinq techniciens, machinistes et producteurs courageux de *M'as-tu vu ?*. L'animateur de la téléréalité se transforme en animateur du *quizz*, pour l'occasion, et atteste que les vingt questions qu'il posera sont inconnues des deux équipes. Et pendant dix minutes, on assiste à un véritable carnage. Les jeunes d'Il était mille fois pulvérisent les adultes dans une joute somme toute captivante. S'il est bien vrai que les élèves ne connaissaient pas les questions, je dois avouer que je suis impressionnée par leurs connaissances. À côté d'eux, j'aurais fait bien pâle figure, à part pour les questions portant sur la grammaire et l'orthographe. Le score final : 17 à 3 pour les élèves engoncés dans des vestons de géants. Bravo, les *geeks*.

La quatrième école en lice est celle – redoutable – de Taz. Et pour cause : une fois de plus, la tornade de Chaudière-Appalaches se montre à la fois convaincante et charmante. Après avoir montré brièvement la suite de leur projet de vêtements artisanaux de bal de finissants, Taz-le-cool et sa gang ont eu l'idée de pousser plus loin leur critique de la surconsommation en ce qui concerne la mode. Du Soleil plein la tête, son école, a mis sur pied cette semaine un système d'échange de vêtements. Sur un ton enthousiasmant et sincère, l'ambassadeur tatoué explique à l'animateur presque aussi branché que lui : « Écoutez, c'est assez simple, notre affaire, mais presque aucune école le fait ! On a récupéré l'ancien fumoir des profs et on en a fait une boutique d'échange. Je vous explique. Si un élève ou un prof prend du poids, par exemple, et que ses vêtements ne lui font plus, il faut surtout pas qu'il les jette pour en acheter d'autres. Il faut juste qu'il les apporte à l'école. Nous, on les installe sur un cintre, et en échange de son don, il repart avec un autre morceau de linge. Un morceau qui lui fait. Y a certainement quelqu'un d'autre qui a perdu du poids et qui veut se débarrasser de son jeans trop grand, mais encore en bon état ! Pas vrai ? Pour le moment, ça concerne juste les élèves et les profs, mais on aimerait ouvrir ça à plus de gens ! À tous les citoyens de la région, pourquoi pas ! Parce que l'idée est de cesser de surconsommer. Tout ce dont on a besoin en vêtements existe déjà. Pas besoin de l'acheter et de polluer encore plus la planète. On échange, tout simplement. Juste ça. On réinvente pas la roue. On n'en fait pas une nouvelle, on récupère ! Vive l'échange ! »

Les positions écologiques et le charisme du jeune leader, une fois de plus, opèrent sur la foule en liesse. Redoutable concurrent, vraiment!

Comme c'était le cas la semaine dernière, alors que l'émission est sur le point de se conclure, tous les participants se retrouvent sur la grande scène du studio Mel's. L'animateur tient dans la main les deux enveloppes contenant les noms des écoles « sauvées par le public ». Il nomme:
1- COLLÈGE MARIE-DE-LA-PLUS-HAUTE-ESPÉRANCE (Délivrance, encore! Je vais finir par croire que je suis aimée!)
2- ÉCOLE DU SOLEIL PLEIN LA TÊTE (Encore!)

Ma gang et celle de Taz libérons la scène, sous les applaudissements nourris de nos *fans* en liesse. Je me sens comme une *rock star*. Marie-Mai, c'est moi. Avant de sortir de scène, je brandis fièrement un bras dans les airs et je fais un geste de *devil* avec mes doigts. Euh... ? Moi, Cybèle Campeau-Grégoire, qui fait le signe du *devil* à la télé?! Ça ne me ressemble tellement pas. Mais je suis grisée par les cris du public et leurs affiches contenant parfois mon nom. Je ne suis plus tout à fait la même et c'est tant mieux.

Pendant qu'on intercale une énième pause publicitaire avant de *flusher* une école de la compétition, Flavie me serre dans ses bras en me disant qu'elle est fière de nous, que nous sommes des *best*. Le brouhaha et les applaudissements enterrent ses mots.

– As-tu dit qu'on est des *best*? que je demande, avec une ferveur presque amoureuse.
– Hahaha ! Non. J'ai dit qu'on était *les best.*
– Hahaha ! OK !

Je me sens conne. C'est comme si j'avais 12 ans et que je quémandais l'amitié de la fille la plus *hot* de l'école. Mais Flavie me glisse à l'oreille :

– J'ai pas dit qu'on était des *best.* Mais je le pense. T'es ma *best friend*, Cyb. Sérieux.
– *Wow.* Merci.
– Pis moi ?

Je jette un coup d'œil rapide autour, pour m'assurer que Marie-Jeanne ne soit pas dans les parages. La voie est libre.

– T'es aussi ma *best*, Flavie !
– *Yes*, madame !

J'ai 12 ans, encore. C'est comme ça que je me sens. Douze ans et incroyablement légère. Je ne porte presque pas attention au résultat final : des deux écoles en danger, c'est celle de Raphaël-Carl, Il était mille fois, qui est retranchée. Les prédictions de Flavie étaient bonnes. Eh, *boy.* On dirait bien que les deux pleureuses sont encore dans la partie ! Mais ça m'importe peu. Je suis trop occupée à savourer ma joie.

Peu de temps après, ma mère nous conduit à la maison, mon amoureux, Antonin et moi. Je dors chez elle, ce soir. Je suis à l'arrière et je tiens la main douce de mon chum, que ma mère ramène chez lui. Je passe l'index sur les petites veines pleines de vie qui pulsent jusqu'à ses jointures pointues. Cette belle main-là veut de ma main ordinaire. C'est incroyable, la vie.

Sur le siège avant, côté passager, Antonin regarde les étoiles poindre dans le ciel sombre. Que nous ayons des invités dans la voiture ne change rien à la conduite de ma mère ; fidèle à elle-même, elle conduit comme un danger public, frôlant les trottoirs, flirtant avec les garde-fous du pont qui nous ramène en Montérégie. Mais je n'ai pas peur de tomber dans le fleuve. Je suis hors d'atteinte. Je suis en pleine lévitation. J'ignore si c'est la victoire, la présence de mon amoureux fier de moi, ou bien si c'est parce que la fille la plus *hot* de mon école m'a fait cette déclaration d'amitié. Je lévite tellement que je n'ai plus rien à craindre.

À l'instant présent, dans ma petite vie banale d'élève du secondaire, tout va si bien. Tout va si bien.

Faites que rien ne bouge. C'est ce que je me dis, en regardant à mon tour une étoile au hasard, derrière la vitre.

Faites que rien ne bouge.

SEMAINE 3

JOUR 11

Ce matin, dans le cours d'éduc, je me dépense comme jamais. J'ai réécouté le gala hier soir (ma mère l'avait enregistré, bien évidemment), et, oh surprise, je me suis trouvée encore grosse à l'écran. Alors je cours comme une folle sur le terrain de badminton, même si je ne parviens toujours pas à viser le volant adéquatement. L'important, c'est de brûler des graisses. Je me fiche de frapper dans le beurre.

Alors que je récupère sur le banc, j'entends le beau Hugo Roberge dire à Marie-Jeanne qu'elle devient de plus en plus *chicks*. Marie-Jeanne? *Chicks*? Hein?

Je me force à la voir autrement. Je la regarde pendant cinq minutes frapper le vide avec sa raquette. Oui, nous avons la même absence de talent sportif, mais pas le même tour de taille! Son short est retenu par une ceinture. Son t-shirt flotte autour d'elle. Quand il se soulève, il révèle un ventre étonnamment plat. Hugo Roberge a raison: Marie-Jeanne devient *chicks*. Elle a clairement perdu beaucoup de poids.

Je la regarde la bouche ouverte, prête à gober un moineau.

Comment ai-je pu faire l'autruche et me cacher la tête dans le sable tout ce temps? Mon amie se ferait-elle vomir, comme tant d'autres adolescentes? Plus je détaille son corps, et plus j'en suis convaincue. Je profite d'un moment où elle va boire de l'eau à la fontaine à l'extérieur du gymnase pour l'interroger.

– Je m'en fais pour toi, Marie.
– Ah oui? Comment ça? T'as des remords parce que tu passes ton temps à annuler nos rendez-vous?
– J'annule pas nos rendez-vous, dis-je piteusement. J'ai juste souvent des empêchements…
– Avec Flavie Ross, oui, je sais… C'est sûr que je suis pas aussi *cool* qu'elle!
– Arrête, c'est toi ma meilleure amie.
– T'es sûre de ça?
– Hum, que je souffle, transpirante de culpabilité.
– *Cool*, dit Marie, sans entrain. Qu'est-ce que je peux faire pour toi?
– Tu m'inquiètes. Rassure-moi et dis-moi que tu te fais pas vomir.

Marie-Jeanne est amusée par ma demande. Elle semble surprise et satisfaite à la fois.

– Pourquoi je me ferais vomir?
– Tu t'es pas vue, tu fonds à vue d'œil, que je dis en montrant son short retenu de peine et de misère.
– Cybèle Campeau-Grégoire qui me regarde?!
– Quoi?

– Je pensais que tu me regardais plus. Je pensais que tu regardais plus que Flavie Ross ou Tristan Meunier.

Est-ce vrai ? Est-ce que je regarde à ce point Flavie et Tristan ? C'est vrai que je les trouve beaux. C'est vrai qu'être avec eux me rend plus belle, plus étincelante. C'est comme s'ils me contaminaient positivement. Qu'ils me transmettaient un peu de leur brillance. Si j'irradie à Marie-de-la-plus-Haute-Espérance, c'est grâce à eux, après tout.

Mais je ne veux pas que Marie se sente délaissée. Elle ne mérite tellement pas ça ! Après tout, depuis ma fracassante entrée (*not*) dans le monde de l'adolescence, elle a été la première collègue de classe à m'avoir donné de l'importance.

– Je m'excuse si je me montre distante avec toi. Vraiment.
– Hum.
– Je vais faire attention.
– Hum.
– Je te le jure.
– Hum.
– Toi, tu vas arrêter de te faire vomir ?

Marie-Jeanne éclate de rire.

– Je me fais pas vomir !
– Tu peux me le dire, je suis ton amie. Je veux encore l'être, c'est super précieux pour moi.

Et en disant ça, je le crois de toutes mes forces. Je ne veux pas perdre cette fille.

– Je me fais pas vomir, Cybèle, répète Marie-Jeanne le plus sérieusement du monde.
– Ben, comment t'as perdu autant de poids ?
– Je mange pus de *chips*. J'ai coupé ça complètement. Depuis que je me suis mis de la crème dépilatoire dans le nez, quand j'en mange, ça goûte rien. Donc, tant qu'à manger des choses pas bonnes pour la santé qui goûtent rien, autant manger des affaires dégueulasses, mais bonnes pour moi. Je goûte pas la différence *anyway*. Faque ça fait deux mois que je mange juste du céleri avant de me coucher.
– Tu goûtes vraiment pus rien ?
– Rien rien rien. Pis pour une gourmande comme moi, c'est vraiment pas le fun.
– Tu me jures que c'est pas un poisson d'avril ? dis-je, faisant allusion à la date d'aujourd'hui.
– Je te le jure. La crème dépilatoire a dû brûler aussi mes papilles gustatives, ou une affaire de même. Y a plus rien qu'y a du goût dans ma bouche.

C'est étrange comment je me sens. J'ai envie de la serrer fort dans mes bras pour la consoler, mais aussi de la pousser violemment contre le mur. La serrer pour lui montrer que je tiens à elle et que je ne veux pas la perdre, et la pousser parce que je l'envie trop. Plus je regarde son tour de taille et plus ça me fâche. Ça fait des semaines que j'essaie de perdre un peu de poids, mais rien à faire. Je devrais aller nager à la piscine, je sais bien, mais avec *M'as-tu vu?*, mes nouveaux amis et l'école, je n'ai pas une seconde à moi. Résultat: mon corps me désespère toujours autant.

Et elle, juste parce qu'elle a agi stupidement en se mettant de la crème dépilatoire dans les narines et en se brûlant les papilles olfactives et gustatives (par un effet d'entraînement), elle s'alimente mieux que moi! Présentement, c'est de la jalousie que je ressens. Mais je ne suis pas assez folle pour me verser toute une bouteille de *Veet* dans le nez avec un entonnoir, moi!

Je veux ma Marie-Jeanne Grosjean costaude comme avant. Je ne veux pas d'une autre amie plus mince que moi. Ça suffit.

Je ne veux pas être la plus grasse de mes amies.

*

C'est le temps du troisième *brainstorm* de la saison, qui n'en est pas un vrai. Flavie est excitée, car elle sait que c'est son idée qui sera retenue. C'est ce qu'on a statué la semaine dernière. Elle est d'ailleurs la première à nous le rappeler.

– Donc on prend mon idée? On fait un documentaire sur les bienfaits de Facebook?

Même si, en apparence, le sujet semble plus futile que ceux des semaines passées, nous faisons oui de la tête.

Après tout, elle a raison. Combien de fois j'ai entendu mes parents parler en mal de Facebook, alors que moi, je l'utilise pour me maintenir à jour sur la vie de mes amis, en plus de me tenir informée des nouvelles mondiales que ces mêmes amis mettent en ligne sur leur mur. Mon chum en particulier publie des reportages que je ne serais pas portée à lire par moi-même s'il ne faisait pas partie de mes amis Facebook. C'est exactement le genre de témoignages que veut recueillir Flavie.

Sans perdre de temps, Olivier, Debra et elle se mettent à pondre un texte sur notre projet pour faire un message à l'interphone dès cet après-midi, question d'appâter rapidement les élèves du collège. Car nous avons besoin de leurs témoignages, de leurs belles histoires de retrouvailles pour nous changer de celles d'intimidation, comme le vieux porc (Claude Desharnais de Beauharnois) qui m'a écrit un message haineux la semaine passée.

Marie-Jeanne soupire. Elle n'est pas très calée en Facebook. Elle y va peu. Tristan, lui, même s'il avoue y passer trop de temps, n'est pas convaincu. Il me glisse à l'oreille que ce sera dur de faire un bon documentaire sur ça. « J'ai un peu peur que ça soit superficiel, Cybèle. » Je fais oui de la tête, totalement enivrée par son haleine fraîche. Je le regarde mâcher sa gomme et je me perds dans de stupides pronostics : quelle sorte de gomme peut bien lui donner une haleine capiteuse et étourdissante comme ça ? Dentyne fire ? Dentyne ice ?

Excel ? Trident Splash ? Juicy Fruit ? Clorets ? Stride ? Ou bien sa salive a simplement des propriétés magiques ? Avec Tristan, tout est possible.

– T'en penses quoi, toi ? qu'il me chuchote encore.
– Je pense comme toi.

Ça risque d'être un peu plus superficiel que nos derniers reportages, oui, mais Flavie, qui a des oreilles tout le tour de la tête, nous rappelle que ce sont surtout les jeunes qui votent. Et que les jeunes, ils en ont assez de se faire juger par les adultes de passer autant de temps sur Facebook. Elle n'a pas tort, notre reine des réseaux sociaux !

*

Avant de rentrer chez mon père, je demande une gomme à Tristan, affairé à tambouriner agilement sur son casier métallique avec ses baguettes de *drum*. Il fouille dans son sac et en sort un paquet d'Excel menthe polaire. C'est donc ça qui me chavire.

– Tends les mains, si tu veux pas que j'y touche.
– Ça me dérange pas si tu y touches, voyons.

Mon ami me fait un clin d'œil. Je tends les mains jointes, comme si j'allais communier et qu'il allait me donner l'hostie. Le corps du Christ, oui. Tristan appuie sur le plastique et une gomme me tombe au creux des paumes. Amen. Je la porte à ma langue et rentre chez moi en me disant qu'en ce moment, j'ai la même haleine enivrante que Tristan.

J'ai l'impression qu'il m'a embrassée.

Je passe la soirée à penser à Maxime en me sentant coupable, comme si je l'avais trompé. Pourtant, je ne jette pas la gomme, même une fois la saveur épuisée.

Eh, *boy*. Ce n'est pas bon signe.

JOUR 12

Le printemps se manifeste enfin. Le gel dégèle, la neige déneige. L'asphalte de la cour de récré resurgit, avec tout ce qu'elle a emmagasiné durant l'hiver (kleenex, cigarettes, gommes...). Le gazon, laid comme un chat d'égout, se remontre le bout du nez. Les filles, elles, remontent leur jupe quadrillée plus haut sur leurs jolies cuisses, au grand plaisir des gars. Entre les cours, monsieur Mignot circule avec sa règle dans le corridor des casiers en rappelant l'usage adéquat de l'uniforme. Moi, je ne remonte rien. Ma jupe reste bien en place. Plus je peux cacher mes cuisses grasses, mieux je me porte.

Dans la cafétéria, je termine mon pouding Belsoy au caramel qui me fait toujours saliver. Marie-Jeanne, elle, pige au hasard, sans enthousiasme, dans un Tupperware rempli de légumes coupés à la va-vite. Des carottes, des concombres, des radis, des poivrons, des céleris, mais aucune trempette !

– Que je mange un céleri ou une *chip* au BBQ, ça fait aucune différence dans ma bouche. Je pense que j'ai plus aucune raison valable de vivre !

Marie-Jeanne mord dans un céleri, découragée. Depuis que je suis au courant de son secret, je réalise qu'elle a toujours un légume dans la bouche.

– Arrête, Marie ! Dis pas des affaires de même !

– Non, mais c'est tellement plate. J'ai envie de goûter à des *chips* ou à mon dessert préféré.
– C'est quoi, ton dessert préféré ? que je lui demande.
– Les profiteroles.
– C'est un drôle de nom.
– C'est le seul dessert que fait Patricia. C'est tellement bon, ça se dit pas. J'en mangeais beaucoup avant. J'ai ralenti quand Michael Jackson est mort.
– Comment ça ?
– Je pensais qu'il était mort d'une surdose de profiteroles. Ça m'avait fait ben peur. Je pensais que la mort me guettait parce que j'en mangeais beaucoup.

Je fronce les sourcils comme si Marie venait de m'annoncer que Milanie-Mononucléose venait d'être élue la fille la plus passionnante du collège.

– Michael Jackson est pas mort d'une surdose de desserts, voyons !
– Je sais. Mais j'avais mal lu dans le journal. Son médecin lui a injecté une dose fatale de Propofol. Pas de profiteroles.
– Haha !

J'imagine un docteur administrer du dessert par voie intraveineuse à Michael Jackson. Ça me fait glousser.

– Mais là, je peux pus manger de profiteroles.
– Tu peux encore, voyons…
– Ça me donnerait quoi, si je peux plus goûter ?

Je crois que je ne réalise pas bien l'ampleur du désarroi de mon amie. Elle a raison. Moi aussi je serais désespérée si je ne pouvais plus goûter tout ce que j'aime (les yogourts Activia aux pruneaux, la crème glacée trois couleurs, les fromages OKA, bref, tous les produits laitiers !). Je veille à me montrer compatissante. Je lui flatte le dos.

–Tout ça, ça reste entre nous, hein, Cyb ?
– Ben oui, Marie ! Ben oui.

*

Nous travaillons sur notre documentaire vantant les vertus de Facebook. Seule Marie-Jeanne n'est pas de la partie. Elle préfère aller chez les petits vieux, à côté. Elle est en train de se faire très amie avec Florentine, qui lui donne des cours privés de tricot. Patricia a bien appris les bases du tricot à sa fille, mais Florentine pousse Marie plus loin, lui enseigne comment faire autre chose que du point mousse ou du point jersey.

Puisque monsieur Mignot accepte que les élèves volontaires livrent leur témoignage à notre caméra pendant les heures de cours de l'après-midi, ça se bouscule au portillon de notre petit local « LGBT et amis » ! Et Flavie n'avait pas tort, car plusieurs ont de beaux hommages à livrer à propos de Facebook. Une fille de secondaire 5 nous révèle, la voix presque tremblante, avoir réussi à retrouver sa meilleure amie d'enfance partie à neuf ans vivre à Paris. Elle était sans nouvelles depuis ce départ. Une autre élève raconte comment elle a pu établir une correspondance avec India Desjardins après lui avoir écrit à quel point sa série d'Aurélie Laflamme l'avait aidée dans la vie. Il y a même un gars qui révèle que chaque fois qu'il se fait voler son vélo, il se plaint sur Facebook, puis un ami lui donne un vieux vélo qui traînait chez lui.

Tout ça grâce à Facebook.

Mais la palme du plus beau témoignage revient à Myriam Lemieux-Lisée, notre professeure d'anglais: «De mes 11 à 14 ans (j'ai maintenant 28 ans), ma famille a accueilli pendant l'été un jeune de Biélorussie dans le cadre d'un programme d'aide aux enfants victimes de l'accident nucléaire de Tchernobyl. Le premier été, il parlait pas un mot de français, et on parlait évidemment pas un mot de russe. Mais on a fini par se créer notre propre langage, fait de signes, de grimaces, de petits mots étrangers par-ci par-là. Au fil des étés, son français s'est amélioré et on a fini par abandonner le dictionnaire et les pictogrammes. Pour moi, il était comme mon troisième frère, et j'étais un peu comme sa grande sœur, qui le conseillait dans ses amours et qui faisait parfois un peu de médiation quand la chicane entre les gars pognait. Il a séjourné chez nous (les étés) de ses 8 à 12 ans, mais après c'est devenu beaucoup plus compliqué administrativement et financièrement de le faire venir au Québec. L'organisme d'ailleurs ciblait son action sur les enfants de 12 ans et moins. Nous nous sommes écrit un an ou deux après son dernier séjour, avec l'aide d'un traducteur (qui traduisait nos lettres en russe, et qui traduisait ensuite en français les lettres de la famille de Sacha quand elles nous arrivaient). Puis, la correspondance a cessé. Je n'ai pas pour autant arrêté de penser à lui, à ce qu'il était devenu, ce beau garçon… Il y a quelques mois, nous nous sommes finalement retrouvés, sur Facebook ! Quelle émotion ce fut de pouvoir communiquer avec lui, avec l'adulte qu'il est devenu, qui se rappelle très bien de moi et de ma famille. Il a perdu son français, mais comme sa femme est professeure d'anglais comme moi, nous communiquons ensemble dans cette langue et arrivons à prendre de nos nouvelles de cette façon. Et à partager nos plus beaux souvenirs ! Facebook m'amène souvent de belles surprises, mais d'avoir retrouvé Sacha est une des plus belles choses qui me soient arrivées grâce à ce réseau. »

C'est très émouvant de voir ma prof d'anglais se révéler ainsi. Chose certaine : je n'écouterai plus ses cours de la même façon ! Avant de quitter notre local pour aller donner son dernier cours de la journée, Myriam fait le constat suivant à voix haute : « J'avais tellement envie de comprendre les mots de sa langue maternelle, différente de la mienne… Je réalise que c'est peut-être grâce à lui que m'est venue l'envie de devenir prof d'anglais. Enseigner la langue la plus répandue sur la terre pour être comprise par le plus de gens possible… »

Tristan revient sur ce qu'il a dit hier : il n'y a rien de superficiel dans les témoignages reçus !

*

Flavie s'ennuie de moi, qu'elle me dit. Je l'invite à souper, plutôt que l'inverse. Mon père accepte, rassuré quand je lui dis que c'est pour achever notre travail d'analyse de *Vipère au poing*. Mais pendant tout le repas, il est à pic. Il n'est pas spécialement sensible à l'humour de mon amie, pourtant vraiment drôle. Heureusement que Marie-Annick est là pour rire des anecdotes savoureuses de Flavie. À chacune de ses blagues, je suis fière d'elle, comme si son humour mettait le mien en valeur. Et avec son chignon et ses boucles d'oreilles en petites plumes d'oie, c'est comme si son évidente beauté mettait la mienne en valeur.

Être avec Flavie Ross me rend plus *cool*. Voilà la vérité nue.

Je n'en veux pas à mon père de ne pas être d'emblée vendu au charme et à la folie de Flavie. Voilà une semaine qu'il ne pète pas le feu. Un critique littéraire a démoli son roman *Anastasie* dans la revue *Lettres québécoises*. Une mauvaise critique de plus. Il les accumule, depuis la parution de son dernier roman. C'est une de trop.

Une fois Flavie retournée chez elle, je demande à mon père comment il l'a trouvée. Il me dit simplement : « Je préfère la simplicité et l'honnêteté de ton amie Marie. » Je fais de gros yeux surpris et je lui demande de préciser sa pensée, au lieu de quoi il me chasse du revers de la main. « Pas ce soir, je vais pas bien, ma chouette. »

Je préfère la simplicité et l'honnêteté de ton amie Marie ?

Je me répète cette étrange phrase toute la soirée. Je la décortique, comme s'il s'agissait d'une énigme contenant la réponse à ma vie. J'ai beau la tourner dans tous les sens, je ne me l'explique pas. Car c'est dur de me l'admettre, mais il est plutôt évident que Flavie est mille fois plus *cool* que Marie...

Non ?

JOUR 13

– Je sais pourquoi Marie-Jeanne-Grosse-Jeanne est rendue ultramince !

Flavie parle tellement fort dans mon oreille que je crains que son beau perchiste capte ses mots.

– Moins fort, Flavie.
– OK, OK, mais je sais pourquoi !
– Elle te l'a dit ? que je demande, les yeux exorbités comme ceux de notre prof Folcoche.
– Pas besoin, c'est évident : elle est anorexique.
– Elle est pas anorexique.
– Cyb, ouvre-toi les yeux : elle mange juste des céleris !
– Je sais, mais c'est pas parce qu'elle est anorexique.
– Pourquoi d'abord ?

Je soupire et ne dis rien, ce que Flavie interprète comme un aveu.

– Tu vois : y a franchement aucune autre raison valable que celle-là !

La reine des réseaux sociaux passe la matinée à essayer de me faire cracher le morceau, que je retiens farouchement, par respect pour la vie privée de Marie. Elle est épuisante, aujourd'hui !

On dirait que ça la fâche elle aussi de voir que Marie-Jeanne perd de plus en plus de poids. C'est comme si elle représentait une menace pour elle. Il est vrai que les garçons regardent autrement Marie, depuis quelque temps. Peut-être Flavie voit-elle en mon amie nouvellement mince une sérieuse rivale au titre imaginaire de la plus belle élève des 3e secondaire ?

– Je te préviens, si à midi elle mange encore des céleris, je vais aller informer l'infirmière de l'école. Je peux pas laisser passer ça. C'est trop sérieux comme maladie !
– Informer l'infirmière ?
– *Yes*, madame !

Eh, *boy* ! Ça y est : elle m'oblige à trahir le secret de mon amie. Je lui promets de lui dire cet après-midi. Je veux m'assurer que Marie soit absente (je sais qu'elle retourne tricoter avec les voisines âgées pendant le bloc horaire que le directeur accepte de libérer pour nous, les élus de la téléréalité, qui nous consacrons au documentaire sur Facebook). Dès que Marie sort rejoindre ses nouvelles amies septuagénaires, Flavie me tire loin de la caméra que Tristan installe sur un trépied pour filmer de nouveaux témoignages.

– Pis, c'est quoi ?
– Marie a perdu deux de ses cinq sens : l'odorat et le goût.
– Hein ? Comment elle a fait ça ?
– Tu me promets que tu gardes ça pour toi ?
– Ben oui, ben oui.
– Elle s'est mise de la crème dépilatoire ultra-puissante dans le nez.

Le rire de Flavie explose dans le local « LGBT et amis ». Ça éclate comme une grenade, comme une bombe, comme quelque chose de violent. Son rire me fait mal. C'est de mon amie qu'elle rit. Et c'est un drame qu'elle trouve drôle. Plus elle rit et plus ça me fait mal. Voit-elle seulement à quel point son rire n'est pas le bienvenu dans la situation? Évidemment, tous les collègues veulent savoir ce qui lui vaut cet éclat de rire, mais Flavie fait non du doigt, me prouvant que je peux compter sur sa discrétion.

Quand arrive le père de Debra, Monsieur Farley, pour livrer son témoignage sur les bienfaits de Facebook, Flavie a encore du mal à étouffer son fou rire. Mais son civisme la ramène à l'ordre. D'autant plus que Monsieur Farley est un homme distingué. Elle parvient à se contrôler. Flavie est toujours la fille de la situation.

La confession commence et nous surprend tous: « J'ai été ostracisé, enfant. Je crois que je peux le dire sans exagération. Ma vie était difficile, disons. À l'époque, j'étais très gras, et personne ne se gênait pour me le rappeler. Surtout un gars en particulier, Jacques. C'était lui qui m'enlevait le goût d'aller à l'école chaque matin. Eh bien, le mois dernier, ce dénommé Jacques m'a retrouvé sur Facebook pour me demander pardon, car il avait des remords... Il se rappelait avoir ri de moi parce que j'étais gras et pas très sportif, et il s'en voulait encore, 38 ans après les faits. C'est peut-être stupide et futile, mais son mot m'a fait un bien fou. Ce matin-là, en deux minutes, j'ai fait la paix avec plein de vieux souvenirs pesants. Donc pour ça, merci Facebook. »

Un petit silence règne dans la pièce avant que Flavie, solennelle, le remercie. Debra est fière de la sincérité de son père et Tristan est convaincu que ça fera du solide matériel pour le documentaire. Debra raccompagne son papa à son auto (un homme comme lui, ancien consulaire recyclé en PDG d'une grosse compagnie québécoise, ç'a un agenda très chargé !), et moi j'en profite pour aller au petit coin. Quand je reviens, je surprends une discussion qui me scie les jambes. Je n'ai pas encore mis les pieds dans le local que les voix chuchotées de mes amis se faufilent jusqu'à moi, dans le corridor.

– J'ai une tante qui est devenue sourde en se curant trop fort les oreilles. Le Q-Tip lui a percé le tympan, dit Tristan (c'est sa voix).
– Ouache ! Elle devait se les curer vraiment intensément, ses oreilles ! souffle Flavie (c'est sa voix).
– Sais pas trop. En tout cas, ça doit ressembler à ça, ce qui est arrivé à Marie-Jeanne, propose Tristan (c'est sa voix).
– Moi, quand je me cure les oreilles, je tousse tout le temps. Ça veut peut-être dire que je me rends trop loin. J'ai peut-être des chances de devenir sourde ? Hein ? Pensez-vous ? J'ai comme un petit stress, on dirait, angoisse Francesca (c'est sa voix et son accent).

Je me plante dans le cadre de porte et tout le monde se tait. Je regarde Flavie, qui regarde au sol, détaillant faussement la forme régulière des tuiles.

– Flavie, je peux te parler, s'il te plaît?

Elle se lève lourdement et vient me rejoindre dans le corridor.

– Je m'excuse, je trouvais que les autres méritaient de le savoir. Tout le monde s'inquiète pour elle. J'étais pas la seule…
– Je t'ai demandé de garder ça pour toi. Je pars deux minutes et tout le monde le sait.

Les têtes curieuses d'Olivier, de Tristan et de Francesca apparaissent dans le cadre de porte. Je me tais, voyant qu'Olivier demande la parole avec son index levé.

– Chicane pas Flavie. C'est moi qui voulais savoir pourquoi elle riait. Et c'est vrai qu'on s'en faisait tous pour Marie. On est contents d'avoir été mis au courant.
– C'est vrai, Cybèle, dit Tristan. On est un clan, maintenant. C'était important qu'on le sache.

Je soupire et leur explique que Marie voulait que ça reste privé, entre nous deux.

– Ben ça va rester privé entre nous cinq, promet Francesca.

Olivier, Tristan et Flavie font oui de la tête. Ça me rassure un peu, bien que je sois déçue de Flavie. Au même moment, Debra revient vers le local, l'œil interrogateur.

– Pourquoi vous chuchotez comme ça dans le corridor? Est-ce que vous vous dites des secrets?

Il y a un silence. Puis Olivier revient sur la phrase de Francesca et l'adapte:

– Ça va rester entre nous six, d'abord.

Eh, *boboy*.

*

J'ai reçu une invitation de Flavie pour aller chez elle ce soir, mais j'ai décliné. J'ai besoin de prendre du temps avec moi-même. J'ai proposé à Marie de venir regarder l'émission chez moi, question de me racheter un peu, mais elle m'a dit qu'elle préférait vouer sa soirée au tricot sur lequel elle travaille. Flavie s'est vantée très fort que je l'aie invitée chez moi, hier soir, et je pense que ça attriste Marie. Peut-être se venge-t-elle en voulant tricoter seule chez elle? Je ne veux pas croire que je sois moins passionnante que de la laine brune et beige!

Ce soir, je pense fort à mon amie, dépourvue d'odorat et de goût. Je pense à toutes les odeurs qui ne reviendront pas pour elle. L'odeur sucrée d'un gâteau de fête et de la cire de chandelle. Celle salée de la mer et des *chips*.

Celle du chlore des piscines publiques, celle du café de Patricia. Celles du parfum de Justin Bieber, de la neige, du bran de scie, d'une pelouse fraîchement tondue ou d'une brassée de vêtements qui sort de la sécheuse. Toutes des odeurs parties en fumée qui ne seront pour elle que de vagues souvenirs. Tout ça est triste. Elle qui aurait pu devenir une grande créatrice de parfums. Un genre de Lise Watier, avec son nez anciennement très aiguisé. Peut-être finira-t-elle comme Beethoven? On raconte que vers l'âge de 30 ans à peine, ce compositeur allemand a graduellement perdu l'ouïe, ce qui ne l'a pas empêché de composer de grandes symphonies, créant de mémoire, une fois totalement sourd. Il a créé l'une de ses plus grandes œuvres, *L'hymne à la joie* (segment de la célèbre 9e symphonie) alors que sa surdité était presque totale. Peut-être que Marie-Jeanne en fera autant? Elle confectionnera de grands parfums, mue simplement par le souvenir précis de ses odeurs préférées. Elle créera une fragrance capiteuse intitulée *L'hymne à la joie*, par le pouvoir des réminiscences.

L'hymne à l'ivresse, plutôt. Oui. Le parfum *L'hymne à l'ivresse* de Marie-Jeanne Grosjean.

Il faudrait que je lui propose ça demain.

JOUR 14

Parfois, le mot le plus touchant vient de la personne de laquelle on l'attend le moins. Monsieur Mignot nous rejoint avec son chic habituel dans notre local « LGBT et amis » cet après-midi.

– Puis-je moi aussi livrer mon témoignage positif sur Facebook ?

Flavie échappe un cri de surprise, totalement amusée.

– Vous êtes sur Facebook, vous ?!
– Mais certainement. Et je veux rendre hommage à quelqu'un.

Tristan place notre directeur dans la lumière, l'installe confortablement sur le divan et dirige la lentille sur lui. Sa chevelure ultra gominée luit comme toujours.

– Je commence ?
– Quand vous voulez, monsieur Mignot.
– Alors voici : vous l'ignorez sans doute, mais j'ai toujours aimé le jardinage. En 2011, par l'entremise d'un forum de jardinage, j'ai connu un jeune homme. Marc-André, qu'il s'appelait. Il avait tout juste 19 ans, mais il avait une vraie passion pour le jardinage, lui aussi. Je lui donnais beaucoup de conseils. Comment bien arroser tel ou tel type de plante, la quantité de soleil nécessaire pour bien la faire croître… Ce genre de choses. Puis, quelques semaines après notre rencontre virtuelle,

il était venu ici, en Montérégie, pour un échange de semences dans le cadre d'un événement écolo. On avait alors sympathisé. On s'est ensuite revus deux autres fois, toujours dans le cadre d'événements horticoles, en toute amitié jardinière, si je peux le formuler ainsi. Fin janvier 2012, Marc-André démarre un *post* sur le forum de jardinage titré « Comment réagir ? ». En quelques jours, on apprenait qu'il avait un cancer des ganglions (communément appelé lymphome) et commençait une chimio. À l'aube de ses 20 ans, imaginez-vous donc ! Au début, on échangeait tous les deux des messages via la messagerie privée du forum de jardinage, mais je l'ai finalement trouvé sur Facebook, pas mal plus pratique pour échanger. Là, grâce au clavardage, j'ai pu faire office de deuxième père. Je ne sais pas pourquoi, mais je crois que Marc-André aimait que je lui donne des conseils. Je ne sais pas s'ils étaient judicieux, mais je crois qu'ils lui faisaient du bien. On a échangé comme ça durant une bonne partie de 2012. Jusqu'à l'été. Il est mort le 8 août 2012. Il avait 20 ans. Il s'appelait Marc-André. Mais bon, je me répète.

Un silence règne dans notre cagibi. Tout le monde semble retenir sa respiration, jusqu'à ce que monsieur Mignot conclue son témoignage.

– Peut-être ai-je tort, mais j'ai l'impression que nous avons pu nous dire plus de choses sur Facebook que nous l'aurions fait au téléphone. L'écriture, c'était moins gênant. Il partageait toutes ses peurs avec moi. On ne se censurait pas ni l'un ni l'autre. Et en plus, sur

Facebook, les silences n'existent pas, ou si peu. Sans ce site de réseautage, nos liens seraient toujours restés superficiels, à cause de la différence d'âge (j'ai presque 56 ans, après tout). En six mois, on ne s'est vus que trois fois, mais il est, pour moi, le fils que je n'ai pas eu. Après avoir longtemps critiqué Facebook, que je méconnaissais complètement, je pense maintenant que c'est un outil formidable de rapprochement entre les pauvres êtres humains que nous sommes. Ça m'a permis de me rapprocher de ce jeune homme, ne serait-ce que virtuellement. Et surtout, j'ai pu faire imprimer l'entièreté de nos échanges pour me souvenir de lui. Je ne me souviendrai certainement pas longtemps de sa voix, mais ses mots resteront. Grâce à Facebook.

Le soleil a bougé. La lumière sur la tête de monsieur Mignot n'est plus la même. Elle le révèle d'une autre manière. Il a l'air à la fois plus jeune et plus détendu.

Il a le visage d'un homme libéré de quelque chose.

*

Le dernier cours est fini et j'ai déjà le nez dans mon casier. Marie sort des toilettes sans son uniforme. Elle porte plutôt un *skinny* jeans et une superbe camisole. Elle veut certainement étrenner les nouveaux vêtements que Richard lui a achetés. Des vêtements ajustés à sa nouvelle taille plume. Alors qu'elle s'amène vers moi, je réalise que nous ne nous sommes presque pas parlé de la journée. C'est le moment de lui faire part de mon idée sur la créatrice de parfum privée d'odorat, sur la Beethoven du sentir bon. Mais Marie fait une face d'enterrement. Comme si une de ses nouvelles amies presque centenaires venait de rendre l'âme.

– T'es donc ben belle, Marie !
– Merci, répond-elle, froide comme un pot de crème glacée oublié dans le fin fond du congélateur depuis des siècles et des siècles.
– Qu'est-ce qu'y a ?
– T'aurais pas… t'aurais pas trahi mon secret, par hasard ?

Je laisse passer un ange, puis un autre. Puis toute une *batch* d'anges. Je ne sais pas quoi répondre.

– Non… que je souffle, pas trop convaincue de ma réponse.
– Ah ouin ? Pis pourquoi Hugo Roberge m'a dit aujourd'hui qu'il pouvait me péter dessus autant de fois qu'il voudrait sans que ça me fasse rien ?
– Hein ? Il t'a dit ça ?
– Ouin. Pis il a ajouté que ça changerait rien parce que je sens rien depuis que je me suis mis du *Veet* dans le nez ! C'est curieux, hein ?
– Ouin. C'est curieux.
– D'autant plus que t'es la seule personne à qui je l'ai dit à l'école…

Le cœur me débat. Je suis terriblement démasquée. Je souhaite disparaître dans mon casier et qu'on m'y enferme le reste de la soirée.

– Marie, je m'excuse tellement. J'ai dû le dire à Flavie.
– T'as *dû* lui dire ?
– Elle pensait que t'étais anorexique, elle voulait alerter l'infirmière de l'école.
– Et t'as pas pensé me le dire avant ?
– Je sais pas. Non. Ça s'est passé très vite.
– Et t'as pas pensé dire à Flavie que c'était un secret.
– Ouin, mais je pense qu'elle s'est échappée.
– Comme toi. Vous faites une belle paire, toutes les deux ! Grâce à vous, sans doute que toute l'école sait déjà que je suis la dernière des connes.
– Arrête, t'es zéro conne, voyons.
– OK, je suis pas conne, mais je suis plus assez *cool* pour toi. Je fais pas le poids à côté de ta belle Flavie Ross.
– Tu fais le poids, voyons !
– *Come on !*

Je la détaille des pieds à la tête. Je dois l'admettre : elle est resplendissante de beauté. Son beau-père a renouvelé sa garde-robe, et chaque morceau de vêtement m'éclipse totalement. C'est une nouvelle Marie-Jeanne. C'est peut-être ça que j'avale mal ? Flavie Ross est faite pour être sensationnelle. Que Marie-Jeanne le devienne, en quoi ça me nuit ? Peut-être parce qu'elle était à mon niveau ? Si Marie est sensationnelle elle aussi, je serai la seule à être sensationnellement ordinaire.

– Cyb, ouvre-toi les yeux ! Tu viens plus chez moi ! Tu préfères aller chez Flavie Ross.
– Hein ? Ben non !
– Ben oui, avoue-le !
– Mais non… Mais… mais elle a pas de chat, elle.
– Pis ?
– Ben, toi, oui. Richard en a un…
– Et… ?
– Je suis allergique, dis-je timidement.
– *So what ?* Tu peux prendre tes Réactine. Je vais t'en acheter, moi, des Réactine. Ou des Claritin. Ou des Aérius. Ou des Allegra. Ou des ce-que-tu-veux ! Je vais t'acheter la sorte d'antiallergies qu'il te faut pour que tu reviennes chez moi, Cybèle !
– Ben non…

Un long silence. Marie semble cerner quelque chose que je ne cerne pas encore.

– C'est à moi que t'es allergique.
– Arrête de dire des niaiseries.
– C'est clair, Cybèle. T'es allergique à moi.
– Pantoute.

Mais je ne dis rien d'autre. Je ne trouve pas les mots. Marie hoche la tête, comme si je la décevais.

– T'as tellement changé, Cybèle.
– Quoi ? C'est toi qui me dis ça ? La fille qui est rendue *chicks*… Regarde-toi. Tu te ressembles pas.
– Franchement, c'est juste une paire de jeans !

– C'est un *skinny* jeans !
– Ouin, pis ? T'en portes, toi aussi !
– Oui, mais toi… Je sais pas. Ça fait drôle. Tu m'as pas habituée à ça. Pour moi, t'as changé.
– C'est vrai. J'ai changé de vêtements. Toi, t'as changé à l'intérieur. T'étais tellement droite, avant.
– Ben non ! J'ai pas changé !
– Je peux te rafraîchir la mémoire ?
– Hein ?
– « Quelle est ta vertu préférée, Cybèle ? » « La loyauté. C'est très précieux pour moi. » *Cool.* Et que détestes-tu par-dessus tout, Cybèle ? « Les gens qui disent quelque chose et qui font l'inverse. Par exemple, si tu dis que tu es contre les cabines de bronzage et que tu passes tes soirées à te faire bronzer dans un salon, je trouve pas ça cohérent. J'aime la cohérence, moi. J'aime que nos actes soient cohérents avec nos paroles… » Eh bien, ma chère Cybèle, je t'annonce officiellement que tu n'es pas cohérente avec la Cybèle que j'ai connue. Et mon amie, c'était celle qui me trahissait pas. Donc, *ciao* !

Et Marie me laisse seule avec ma surprise, ma honte et ma culpabilité devant mon casier désordonné. Je suis muette, j'encaisse le coup. Cette longue réplique apprise par cœur, elle est bien de moi. Ce sont mes mots.

Dans tes dents, Cybèle Campeau-Grégoire. C'est tout ce que je mérite, j'imagine.

Marie pousse la porte de l'école avec fracas et tristesse. J'essaie de la rattraper, mais c'est comme si elle m'avait préparé un tour de magie poche. Le temps que je boucle le cadenas et m'élance à sa poursuite, elle a déjà disparu dans la bagnole rutilante de Richard-sirop-pour-la-toux-grasse Tougas.

Voilà où j'en suis : ma fausse loyauté est démasquée. Moi qui trahis Marie, et Flavie qui me trahit. Suffit que Marie trahisse Flavie et on est en *business* : la boucle sera bouclée !

Voilà où j'en suis : une semaine à parler de Facebook qui rapproche virtuellement les gens ; une semaine à vivre ma vie réelle qui m'éloigne concrètement de mes amis.

Voilà où j'en suis : je rentre déprimée/dévastée chez mon père. Il sera heureux : je n'ai pas l'intention d'aller nulle part, ce soir. Je vise ma chambre. Je prévois me terrer sous les draps de mon lit.

Quand j'entre dans la maison, je le surprends à pleurer, la tête penchée sur sa dernière mauvaise critique littéraire. Je reçois un nouveau coup au ventre : je ne me rappelle pas avoir vu mon père pleurer… Je suis en voie de vivre la pire journée de mon année !

– Papa, pleure pas pour ça ! Personne lit ça, cette revue-là !
– C'est la cinquième mauvaise critique que j'essuie, Cybèle. Ça veut dire quelque chose.
– Ça veut dire quoi ?

– Que mon roman est pas bon.
– C'est pas vrai ! Il est super bon, ton roman. Moi, je pense que ça veut juste dire que les critiques littéraires ont pas de goût !
– J'ai appelé mon éditeur. Les ventes vont pas bien.
– Oh…
– Je comptais là-dessus pour te payer tes cours, au collège.

Ça y est. Mon père m'explique qu'il éprouve de graves problèmes d'argent. En juin prochain, ce sera sans doute la fin du collège privé, pour moi. Il ne manquait plus que ça !

Je fais une longue caresse à mon père. Mais dans cette étreinte, je ne sais plus qui supporte qui.

JOUR 15 (SAMEDI)

Avant-dernier gala au Studio Mel's. Déjà les demi-finales. Nous ne sommes plus que trois écoles en lice. En coulisse, nous sommes tous là, sauf Marie. Patricia m'a appelée pour me dire qu'elle ne viendrait pas ce soir. Elle est encore malade, comme hier (elle ne s'est pas pointée à l'école de la journée, vendredi). Me semble. Elle est simplement au courant que je suis une amie pitoyable. Mais est-ce tant de ma faute? Sans doute. En ce qui concerne l'amitié, j'ai peu d'années d'expérience, après tout.

L'absence de Marie chagrine plus la bande que je ne le pensais. Tout le monde semble trouver ça triste qu'elle ne soit pas avec nous. Même Flavie, bien qu'elle en profite pour souligner à la blague le fait que Marie a préféré tricoter toute la semaine avec des petites vieilles plutôt que de participer à notre dernier documentaire.

Dans les loges, nous commençons à tisser des liens avec les autres écoles. Flavie, surtout, développe une complicité avec le beau Taz. Cette bonne entente ne me surprend pas: ils se ressemblent beaucoup tous les deux, d'une certaine façon. Leur confiance en eux-mêmes semble inébranlable. D'ailleurs, Flavie regorge tellement d'assurance qu'elle est convaincue que ce sont les Éternelles Gossantes qui seront éliminées, ce soir: «Si je me fie à ce que j'ai vu cette semaine à l'émission, elles ont dû nous concocter un pathétique numéro de danse *flash.*»

Moi, depuis lundi, j'ai regardé les épisodes avec un peu moins de ferveur que les semaines précédentes. Les problèmes d'argent de mon père, son chagrin, les problèmes de Marie-Jeanne, sa sveltesse qui supplante la mienne, notre monumentale chicane, tout ça m'a remuée et m'a déconcentrée de *M'as-tu vu ?*. D'ailleurs, peu à peu, c'est comme si je perdais le contrôle de mon rôle d'ambassadrice de notre collège. De l'extérieur, cette semaine plus que jamais, la vraie *leader*, c'était Flavie, pas moi. C'est elle qui a eu l'idée de faire un documentaire sur les bienfaits de Facebook et c'est elle qui a coordonné presque tout le tournage. D'ailleurs, puisqu'elle en est la réelle instigatrice, je lui ai offert de parler elle-même de notre projet, sur scène. Je me sens honnête de procéder ainsi. Et de toute façon, je n'aurai pas le cœur de m'adresser à la foule comme lors des deux derniers galas.

Cette semaine, le hasard détermine que c'est l'École du Soleil plein la tête qui est appelée à présenter en premier son projet hebdomadaire. Flavie souhaite bonne chance à Taz avec la même passion que s'il était son petit ami. Il lui fait un clin d'œil absolument charmeur. Eh, *boy*. Je me sens comme une vieille chaussette trouée, près d'eux.

La polyvalente de Taz, encore une fois, vise dans le mille : ils ont préparé des boîtes à lunch pour les élèves défavorisés d'une école primaire de leur région. Je jalouse leur idée (je jalouse tout, depuis quelque temps !). Sur scène, le bel ambassadeur de Chaudière-Appalaches vient prôner l'importance de démarrer la journée avec un déjeuner santé et équilibré dans le ventre.

– Pour réussir, il faut avoir de l'énergie. Et pour avoir de l'énergie, il faut bien manger. Il est prouvé qu'un enfant performe mieux quand il a le ventre bien rempli.

Taz a raison : le ventre vide, on performe moins. Mais le ventre plein, moi, j'ai l'air d'une grosse baleine rousse à la télé !

Je me sens un peu coupable. Ça fait quatre matins d'affilés que je ne déjeune pas. C'est de la faute à Marie-Jeanne aussi. Elle me complexe trop, avec sa nouvelle taille de mannequin ! Comme les autres, d'ailleurs ! Entourée de mes amies Debra et Flavie, je suis clairement la grosse truie. Francesca est peut-être un peu rondouillette, mais elle est jeune. Douze ans encore. C'est son gras de bébé. Moi, j'aurai bientôt 16 ans. Je n'ai aucune excuse. Je suis une simple grosse truie. Voilà pourquoi j'ai sauté le déjeuner si souvent cette semaine.

Notre tour vient. Je monte sur scène entourée de filles plus sveltes que moi. Flavie prend la parole avec entrain et professionnalisme. Étant silencieuse, cette fois, j'ai le loisir de jeter des coups d'œil à l'écran géant derrière nous. Je nous vois, toutes, projetées en grand, en gros. On dit que la caméra fait prendre 10 livres. Eh bien la caméra semble s'acharner uniquement sur moi. Je suis la seule qui prend un 10 livres virtuel. Je crois même prendre le 10 livres de toutes mes amies. Sur l'immense écran, tout est amplifié. À commencer par mon gras de cou. Le menton de Flavie, lui, est une réussite. Comme ses joues et ses épaules hautes, comme son minuscule tour de taille. À l'écran, Flavie Ross semble perdre 10 livres. C'est que la caméra l'aime beaucoup trop. C'en est indécent. À côté de Flavie Ross, Magali-pas-de-E ferait pâle figure ! Et faire pâle figure, ce serait une nouveauté pour une ado aussi calcinée, résultat de ses abus de cercueil de bronzage !

À l'animateur autant qu'à tout le peuple québécois l'écoutant religieusement, ma ravissante amie explique son raisonnement : « *Pour faire l'apologie de Facebook.* C'est comme ça qu'on a appelé le documentaire. L'apologie, parce qu'on sentait que Facebook jouit d'une mauvaise presse. On entend plein de critiques négatives. Qu'on y perd notre temps, qu'on s'exhibe à l'excès, qu'on aiguise notre voyeurisme. On prétend aussi, avec raison, que c'est un terrain de jeu pour la cyberintimidation. Tout ça est vrai, oui. Mais nous, on trouve que c'est assez. Nous voulons vous faire connaître l'envers de la médaille. Facebook, ce n'est pas que du mauvais. Il y a de belles choses là-dedans aussi. Ça a changé la vie de plein de gens isolés, ça les a rapprochés. Notre documentaire montre des bons coups de Facebook. Nous avons recueilli de superbes témoignages, comme vous le verrez dans ce que nous vous avons préparé cette semaine. »

Et *Pour faire l'apologie de Facebook* débute. Les témoignages de retrouvailles et de réconciliation font leur effet. Dans le public (dans lequel ne se trouve pas mon chum, cette fois), on sent un certain attendrissement. Espérons qu'il soit partagé dans les maisons du Québec, car après tout, ce sont les téléspectateurs qui votent.

La soirée se termine avec les Éternelles Gossantes qui, comble de surprise, ne font pas une chorégraphie gênante pour le public. Contre toute attente, elles ont préparé un petit reportage qui frôle la pertinence sociale. Si le duo des KANN était conscientisé, il a bien caché son jeu, depuis le début de la saison. Avec beaucoup trop d'émotions inutiles, la gossante en chef, KellyAnn, révèle que son petit frère, Derek-Steve (au secours !!!) carbure au Ritalin (comme Karianne et elle-même carburent à la sottise) depuis qu'on lui a diagnostiqué un trouble d'apprentissage lié à son hyperactivité (il ne doit pas retenir de la voisine…).

KellyAnn poursuit, avec un soupçon de profondeur : « Après la parution d'une étude américaine sur le Ritalin dans le *Journal de Montréal*, Karianne et moi, on a réalisé qu'on était chanceuses de pas avoir eu à prendre cette affaire-là. Parce Kari et moi, on en a en masse, de l'énergie ! Hein, Kari ? Wouhou ! Mais disons-le : c'est de la chnoute, cette « drogue de la réussite » ! Des chercheurs du New Jersey ont suivi 15 000 enfants et leurs familles ici au Québec pendant 14 ans. Pis ils ont étudié de près les résultats scolaires des élèves prenant du Ritalin. Ben toujours est-il que, non seulement il y a pas eu d'amélioration, mais il y aurait même eu une régression. Ça, une *régression*, pour ceux qui le savent pas, c'est le contraire d'une amélioration. C'est quand les choses vont moins bien. Donc c'est pas cool. Pis c'est pas tout. Dans le cas des hyperactifs, le médicament nuirait à leur développement. »

Karianne prend le relais : « Ce que KellyAnn et moi on veut, c'est juste que le Québec choisisse de miser sur d'autres formes d'aide. Plus de soutien à l'apprentissage plutôt que de la médication. L'étude disait aussi qu'on mettait énormément de pression sur les parents pour qu'ils donnent du Ritalin à leurs enfants. C'est pas le fun, ça. Si vous voulez des chiffres, on en a ! »

Elle sort sa fiche et lit sa phrase punchée : « Croyez-le ou non, mais 44 % du Ritalin prescrit au Canada est consommé ici, au Québec, qui connaît pourtant l'un des taux de décrochage scolaire les plus élevés au pays ! En plus, le nombre d'élèves médicamentés augmente d'année en année. On diagnostique trop rapidement des troubles d'hyperactivité, dans le fond. Et les chercheurs des États-Unis ont prouvé dans leur étude que le Ritalin augmentait pas pantoute les résultats scolaires. Et le pire, c'est que ça a des effets secondaires reconnus, comme… comme de la fatigue, genre. Faque on a eu une idée, Kelly et moi : celle de faire circuler une pétition pour faire arrêter cet abus-là. On veut se rendre à 100 000 signatures. Pis là, on veut rencontrer la première ministre du Québec. Ou bedon un ministre. Celui de la santé, idéalement. Pour le convaincre que ça doit être plus réglementé. C'est ça. On fait ça pour aider tous les petits Derek-Steve du Québec! »

Haha. Derek-Steve! Je ne me fais pas à l'idée. Mais je dois dire qu'outre leur niveau de langage, cette semaine, les deux Éternelles Gossantes ont visé juste, étonnamment.

Plus que jamais, *M'as-tu vu?*, ce soir, s'avère une compétition de l'école la plus impliquée, la plus conscientisée, la plus active, la plus créative. Pendant la pause publicitaire et avant que soit sacrée la première école finaliste, Tristan se penche vers mon oreille pour me faire part de ses craintes: « On dirait que notre truc de Facebook est un peu futile, à côté des deux autres. Tu trouves pas? » Je n'ai pas le temps de répondre que déjà Olivier se penche et me dit dans l'autre oreille que nos chances sont effectivement minces. Une école qui combat la pauvreté dans les écoles primaires et l'autre qui veille à mettre fin au fléau du Ritalin dans le corps des enfants... Je vais dire comme Tristan et Olivier: on ne fait pas le poids avec notre défense de Facebook.

Retour de la pause. L'animateur annonce en grande pompe quelle école a reçu le plus de votes. Flavie se faufile à côté de moi et me serre la main. La moiteur de sa paume me rassure: Flavie Ross transpire. Elle n'est pas parfaite. C'est extra. L'animateur ouvre l'enveloppe et dévoile la première école finaliste: « l'École du Soleil plein la tête! »

Taz et sa bande jubilent. Ils sautent dans les airs, extatiques. Ils sont aimés, choisis. Plus que nous. La main de Flavie tremble. Elle me *squeeze* un peu les doigts, alors que l'animateur annonce une nouvelle pause publicitaire, question d'étirer la sauce et notre stress. Question que de jeunes ados des quatre coins du Québec (OK, de deux coins : la Montérégie et le Bas-Saint-Laurent) meurent d'apoplexie au seuil de leur vie d'adulte. Flavie profite de ce moment pour me faire part de sa rage : « Ça se peut pas, Cybèle. On est en danger. Tu peux-tu y croire ? On est en danger ! Rassure-moi : dis-moi que ça se peut pas que les deux Éternelles Gossantes nous battent, hein ? Dis-le-moi. » Je la contente : « Ça se peut pas. »

Pourtant, oui. Ça se peut. Contre toute attente, ça se peut. Retour de la pause. La caméra est braquée sur nous. À l'écran, on voit nettement les deux Éternelles Gossantes d'un côté, et Flavie et moi de l'autre. Je suis la plus grasse du lot. Je ne vois que ça, on dirait. L'animateur va révéler la dernière école sauvée par le public, et moi je m'en fiche. Je suis obsédée par mon image. J'ai envie de m'éloigner de Flavie, car je ne suis pas de taille. Je pourrais reculer et rejoindre Francesca ? Oui, je pourrais. Subtilement, sur le bout des pieds. J'aurais l'air moins grassouillette à ses côtés. J'aurais peut-être même l'air mince !

La pression de la main de Flavie sur mes doigts me ramène à la réalité de la situation. L'animateur tient l'enveloppe contenant le nom de la seconde école finaliste. La moins aimée des deux écoles chéries. Serait-ce la nôtre ? Flavie serre plus fort. Serait-ce celle des deux hystériques anti-Ritalin ? Flavie serre encore plus fort. Serait-ce la fin de cette aventure ? Flavie serre de toutes ses forces. Vais-je réintégrer une vie normale et l'usage de mes doigts ?

L'animateur ouvre l'enveloppe et nomme notre collège. Flavie desserre sa prise et pousse un cri de victoire. Mes doigts reprennent vie et je siffle de soulagement. Je pianote dans l'air pour retrouver l'agilité de mes doigts avant que Flavie me saute au cou, comme si nous étions les meilleures *best friends* de la terre. Je joue le jeu. Je joue la fille heureuse et soulagée. Mais je n'ai aucune idée de comment je me sens réellement.

Je regarde KellyAnn et Karianne se serrer tendrement, tristes, et je les envie un peu. L'aventure est terminée pour elles. Elles peuvent réintégrer leur vie plate et normale. On dirait que c'est exactement ce que je désire, ce soir. Une vie normale. Entourée de filles plus grosses que moi.

Je veux ravoir Marie-Jeanne comme avant. Qu'on revienne en arrière, toutes les deux. Que notre amitié soit intacte.

Je veux que Flavie prenne le relais jusqu'à la fin. Qu'elle soit la véritable ambassadrice de notre collège, ce qu'elle est déjà, au fond.

Je veux passer la semaine dans mon lit, chez ma mère, à écouter Adèle en boucle me chanter ses chagrins d'amour.

Je veux que Maxime me confirme que je ne suis pas une grosse truie et qu'il me trouve la plus belle de cette foutue téléréalité.

Je me sens épuisée. C'est comme ça que je me sens : épuisée.

Tristan me tire vers lui et me flatte le dos. C'est comme s'il lisait en moi, car il me souffle à l'oreille : « Il reste juste une semaine, Cybèle. Juste une petite semaine. » J'ai envie de me déposer la tête et de pleurer sur son épaule. Au lieu de ça, je me fais attaquer par Flavie Ross qui me saute une fois de plus au cou, sans que je ne la voie venir. Heureusement qu'elle pèse une plume !

– *Yes,* madame ! On les a eues !

Yes, madame. On est sur le point de m'avoir, moi aussi.

SEMAINE 4

JOUR 16

C'est un 8 avril un peu frisquet dans la cour de récré. Mais aujourd'hui, Marie-Jeanne vient à l'école, et sa présence me réchauffe. Elle semble mieux aller, en plus. En fait, elle est resplendissante ! Elle porte une immense écharpe en laine douce dans des tons pastel, large de presque un mètre. C'est tendre et duveteux. Tout le monde a envie de se blottir contre elle. Quand on lui demande où elle a trouvé ce magnifique foulard, elle ne se fait pas prier pour répliquer que c'est elle qui l'a fabriqué.

J'ai envie de me coller contre elle, moi aussi. Je crois que Marie le sent. Elle vient vers moi, recluse contre le mur de brique, en attendant l'ouverture des portes de l'école.

– Je suis belle, hein ?
– T'es ravissante, Marie.
– Je sais, merci.
– Si tu savais comme je m'en veux, Marie. T'avais tellement raison.
– Je sais, merci. J'ai parlé de tout ça avec mon beau-père. Il a une grande sagesse, Richard, quand même.

Ah ouin?

– Hum hum. Il t'a dit quoi?
– Il trouve que tu me traites comme de la vitre, alors que je suis un diamant.

Je ne suis pas sûre d'avoir bien entendu les mots de Marie. Je lui demande de répéter. Elle le fait.

– Il trouve que tu me traites comme de la vitre, alors que je suis un diamant.
– Il a dit ça?!
– Oui.
– C'est de lui? Il me semble que la réplique sonne super bien!
– Je sais plus. Je pense qu'il l'a traduit d'une chanteuse américaine. Gladys quelque chose.
– Ah, il me semblait…
– C'est quoi? Tu trouves que Richard est pas assez bien pour inventer de belles phrases?!
– Non, non! J'ai pas dit ça. M'excuse. Il a raison. T'es un diamant, Marie.
– Je sais, merci. Je pense que tu pourrais être plus fine avec moi.

Coudonc. Qu'est-ce qu'elle a avec son « Je sais, merci. »?

– C'est vrai. J'aime pas ce que je suis en train de devenir.
– Ben, deviens-le pas, d'abord. Arrête ça.
– J'arrête ça.

– Bon. Ben parfait. Maintenant, viens te vautrer dans mon foulard. Tu vas voir comme c'est doux!

C'est une invitation parfaite. Je la serre contre moi. Ou non, c'est plutôt l'inverse. C'est Marie qui me serre contre elle, avec ses longs bras, encore rassurants, même décharnés. J'atterris les joues contre la laine douce de son écharpe. Je pousse un soupir de soulagement. Collée contre la grande Marie, j'ai le sentiment que tout n'est pas perdu. Que notre amitié pourra reprendre du service.

– Si t'es fine, je te tricoterai un foulard. Vert. Un beau foulard vert céladon. C'est ce qui est le plus beau, pour une rousse. C'est des couleurs complémentaires, tu sais?

Je souris. Marie l'artiste sait mieux que quiconque ce qui me rend belle.

– Je vais être la plus fine des fines.
– Je sais, merci.

Flavie vient signifier sa présence bruyamment, pour qu'on se rappelle son existence. Flavie aime toujours qu'on se souvienne d'elle. Elle crie quelque chose comme: « Ah, la tendresse, y a que ça de vrai! » Et sur cette réplique théâtrale, elle écrase de force Tristan dans ses bras, qui rigole et se laisse un peu faire. Elle veut attirer mon attention, mais je n'ai pas envie de me décoller de Marie. Mon oasis de paix, c'est son tricot pastel.

Les portes s'ouvrent. L'étreinte se défait. Mais Marie occupe tout mon cœur, ce matin. J'ai eu trop peur de la perdre.

Pendant que nous prenons nos livres pour le cours de français, Flavie me fait part de son analyse. Elle est sûre et certaine que nous avons été mis en danger lors du dernier gala parce que la Montérégie, c'est moins *sexy* que la région de Chaudière-Appalaches, le royaume de Taz. C'est possible. Et elle ajoute que c'est aussi de notre faute : nous avons lésiné sur nos votes virtuels, via nos adresses courriel bidon. Elle a raison, je n'ai pas rempli ma part de votes illégaux. Et c'est très bien ainsi. Je suis une loyale, non ? Je préfère perdre dignement plutôt que gagner dans la tricherie, en faisant voter des personnes fictives. Mais je n'ai pas envie d'entrer dans une discussion comme celle-là ce matin, alors je joue la carte de la fille un peu pressée.

– En tout cas, l'important, c'est qu'on se rende en finale ! Et on y est ! T'es heureuse, j'espère ?
– Hum hum, que je lui dis, vague.
– *Yes*, madame !

Je prends mes distances par rapport à Flavie. J'entre dans le cours de français beaucoup plus près des pas de Marie que des siens.

– Seigneur, ralentis, Cyb ! Y a pas le feu ! crie Flavie derrière moi.

*

C'est le dernier remue-méninges auquel nous participerons, puisqu'il ne reste qu'un gala. L'*ultime* gala, que répète sans cesse Flavie. Alors il faut trouver une idée ultimement géniale.

C'est Marie-Jeanne qui la trouve, une fois de plus (elle est revenue en force, vraiment). Elle propose que les personnes âgées du centre à côté nous donnent des cours de tricot, et que tous ensemble, nous recouvrions de laine la clôture qui sépare les deux terrains, en guise de contestation artistique (il y a deux semaines, elle a tenté de faire retirer la cloison pour favoriser le rapprochement entre eux et nous, mais la ville a refusé). Elle veut s'inspirer du collectif québécois des Ville-Laines qui font valoir leurs revendications en pratiquant le *yarn bombing*, un type de graffiti fait de tricot recouvrant le mobilier urbain. Des graffitis temporaires, faits de laine colorée, que l'on qualifie de « terrorisme doux ». Parce que oui, Marie nous rappelle que le tricot inspire d'abord et avant tout la douceur et le confort, et que ce serait une belle façon d'entamer le printemps.

Tout le monde est emballé (c'est le cas de le dire) à l'idée de recouvrir de laine l'horrible clôture rouillée. Tous sauf Flavie, bien sûr, qui considère que ça ressemble un peu trop au documentaire sur la solitude des aînés. Tristan n'est pas d'accord.

– Je vois plus ça comme une continuité. Comme quand la gang de Taz a implanté un système d'échange de vêtements après avoir fabriqué eux-mêmes leurs tenues de bal de finissants.
– Je suis d'accord. Ça a plus l'air d'une suite logique, au contraire, dit Olivier.

Flavie s'incline. Après tout, sa dernière idée n'a pas été la plus payante pour nous. Elle embarque, mais pas avec le même entrain qu'à l'habitude. Comme si elle se sentait un peu laissée pour compte. Mais quand l'équipe de tournage de *M'as-tu vu?* apparaît dans le cadre de porte de notre local « LGBT et amis », Flavie se donne un coup de pied au cul et se met à sourire et à lancer des idées, elle aussi.

Oui, la caméra aime Flavie. Mais on dirait bien qu'elle l'aime encore plus !

*

Tristan m'offre de me raccompagner jusqu'à la maison. Comme ça, par simple gentillesse. Pour qu'on jase. Je dis oui. Nous marchons dos au soleil. Nos ombres s'allongent loin devant nous. Celle de Tristan dépasse la mienne.

– Ton ombre fait presque la moitié de la mienne, dit-il en désignant l'asphalte avec sa trop belle main.
– Exagère pas. Je suis pas si petite que ça !
– Sais-tu quoi ? Tu me fais penser à la petite rousse dans *How I met your mother.*
– T'es pas le premier à me dire ça, que je lui dis, rudement flattée.
– Mais en plus belle.

Je rougis. Je ne dois pas être belle à voir. Une rousse qui rougit, c'est toujours catastrophique.

– Merde, je dois avoir la face tellement rouge, là.
– Je sais pas. Je suis pas bon avec les couleurs.
– Oh, t'es albinos ?
– Plus daltonien, je dirais.

Quelle conne. Confondre le daltonisme avec l'albinisme ! Pas bravo, Cybèle. Digne de la surdose de profiteroles dans le sang de Michael Jackson, version Marie-Jeanne, oui ! Tristan se paie ma tête.

– Tu me fais tellement rire, Cybèle. Tu sais tellement être charmante !
– Ah bon…

Que répondre à ça ? Nous arrivons devant le perron. Tristan me regarde en souriant, en silence, pendant près d'une minute. C'est long, une minute, quand un gars craquant comme Tristan vous regarde intensément dans le bleu des yeux. Je me gratte le cou pour me donner une contenance.

– T'as les mains tellement blanches. Sont vraiment belles. Ça me fait penser à un poème.

Un éclair de génie passe dans les yeux de Tristan. Il ouvre son sac et en sort une pomme rouge un peu cabossée qu'il dépose délicatement dans ma main. Il se met aussitôt à me réciter mon passage préféré du poème « Green » de Verlaine :

Voici des fruits, des fleurs, des feuilles et des branches
Et voici mon cœur qui ne bat que pour vous.
Ne le déchirez pas avec vos deux mains blanches
Et qu'à vos yeux si beaux l'humble présent soit doux.

Il le sait, que j'aime ce poème. Il a dû m'entendre le réciter lors du premier épisode de *M'as-tu vu ?*. Mais je m'en fous : je fonds totalement.

Le silence revient. J'ai envie de me jeter sur lui, de toucher à ses grandes mains que je soupçonne être douces, de baiser ses lèvres que j'imagine encore plus douces. Mais je ne fais rien. Heureusement, car rapidement, le visage de Marie-Annick apparaît derrière le rideau. Il y a un gros point d'interrogation sur son front. Tristan remarque la présence de ma belle-mère à la fenêtre, alors il se met à tambouriner avec ses doigts sur ses cuisses, comme si c'étaient ses baguettes de *drum*. Il joue un air que je ne reconnais pas. Peut-être l'invente-t-il ?

Il me donne finalement deux becs secs sur les joues et me laisse en plan sur le perron. En plan, oui. M'aurait-il embrassée, si Marie-Annick ne s'était pas pointé le nez ? L'aurais-je repoussé ? Aurais-je pensé à Maxime ? Est-ce que Tristan me charme plus que Maxime ?

Eh, *boboy.* Tristan me trouble un peu trop, on dirait.

*

Après le souper, je disparais dans ma chambre, manger la pomme rouge que Tristan m'a donnée en privé.

JOUR 17

Mon père est fâché. Il a vu ma note pour mon travail en français sur *Vipère au poing*. Flavie et moi avons eu 73 %.

– C'est pas digne de toi !

Il a raison. Je ne suis pas habituée à avoir une note si basse. J'avoue que l'analyse que nous avons faite était un peu bâclée, occupées comme nous l'étions à voter illégalement pour notre collège avec des adresses courriel inventées, mais tout de même ! Habituellement, quand bien même je ne me force pas, mes résultats scolaires en français sont toujours forts. C'est certainement parce que Folcoche Jocelyne Loiseau ne m'aime pas. Elle m'en veut d'avoir plongé notre école dans cette mascarade de téléréalité. C'est le mot que je l'ai entendu dire, dans un corridor, à la prof de mathématiques. *Mascarade.*

Une vraie Folcoche !

– Ça me coûte les yeux de la tête, ton collège ! Si en plus il faut que tes notes dégringolent, Cybèle, je sais plus ce que je vais faire !
– Je te jure que mes notes vont regrimper, papa. Il reste moins d'une semaine à *M'as-tu vu ?* !
– Heureusement, ma fille, parce que je suis plus capable de l'entendre, cette expression-là !

Il n'est pas le seul. Je suis à bout moi-même.

*

– *Wow !* Il est super beau, Marie ! T'as des doigts de fée !
– Arrête, c'est rien, voyons, me dit mon amie, en reprenant son iPhone.

À l'école, Marie m'apprend avoir tellement tricoté ce week-end qu'elle a fabriqué un foulard pour son Mohawk, son vidangeur adoré. Elle a choisi des couleurs du logo des Blackhawks de Chicago, celles des quatre plumes de l'Amérindien : le rouge, le vert, le jaune et l'orange. Quatre couleurs de laine qui s'alternent sur deux mètres. Une superbe écharpe qu'elle a photographiée avec son cell.

C'est ce matin, pendant que mon père me faisait ses reproches, qu'elle le lui a remis en mains propres en lui disant que ce serait plus un foulard automnal.

– Il a été surpris. Il a rougi un peu, même. Son collègue a fait des sons de vieux cochon, mais mon Mohawk semblait sincèrement content. Il m'a dit qu'il le porterait sans faute dès le mois d'octobre.

Aussi belle soit-elle, je doute que Marie ait des chances avec son éboueur, qui est certainement trop vieux pour elle, mais je l'admire de s'être botté le cul pour l'aborder. C'est une fonceuse, cette fille.

*

Ça fait du bien de ressortir un peu de notre minuscule local « LGBT et amis ». Nous retournons chez nos voisins âgés, à la peau joliment pâle et fripée par les années.

Florentine et ses amis nous donnent des conseils.

– Il faut aussi vérifier la solidité des couleurs de la laine. Si on fait une écharpe à plusieurs couleurs, avant de tricoter, il faut s'assurer qu'une couleur foncée dégorgera pas sur une couleur pâle, nous prévient-elle.
– Suffit de mouiller le fil foncé, de l'enrouler bien serré autour d'un morceau d'essuie-tout blanc. Si le papier change de couleur, on a notre réponse, révèle une autre vieille, très ricaneuse.

Florentine nous montre comment faire un nœud coulant, monter des mailles sur une aiguille, puis tricoter en point mousse (tous les rangs à l'endroit, ce qui fait que la texture est réversible). Marie nous surveille aussi pour s'assurer que nous n'échappions aucune maille, car elle est déjà l'une des leurs : une véritable tricoteuse, comme sa mère, d'ailleurs. Les vieilles et Marie finissent même par nous apprendre à faire un point jersey (où il faut faire de beaux « V » entrelacés, puisqu'on alterne entre le rang à l'endroit avec celui à l'envers). La ricaneuse nous perd avec des projets trop complexes pour notre talent limité : comment faire des motifs de côtes, de dentelle, de point de riz, et même faire des nopes (de petites boules de laine surgissant du tricot) ! Mais elle stoppe quand elle voit nos yeux découragés.

– Le point mousse et le point jersey, c'est ben en masse pour aujourd'hui, Denise. Faut pas les décourager non plus, ces pauvres petits !

Denise-la-ricaneuse glousse un peu en s'excusant.

Tristan filme pendant que nous nous exerçons. Mais ce n'est pas équitable. Un moment donné, dès que j'ai bien saisi comment tricoter en point mousse, je lui prête mes aiguilles et lui vole la caméra, pour que son apprentissage chaotique soit lui aussi immortalisé. Mais encore une fois, Tristan le magnifique ne s'en tire pas trop mal. Même qu'il tricote avec du style (il fait tout avec style !).

– On aura jamais le temps de recouvrir toute la clôture, signale Flavie.

Elle n'est pas de mauvaise foi ; elle a raison. Ce sera bien trop long. Nos tricots de petite laine mince avancent à pas de tortue. Mais Florentine a une idée.

– Je vous ai dit que plus les aiguilles qu'on utilise pour tricoter sont grosses, plus les mailles sont larges. Eh bien, on a qu'à prendre de très, très grosses aiguilles.
– Mais ça va faire bizarre, des mailles larges avec un petit fil de laine. Ça va pas faire trop aéré ? Faut voir qu'on a habillé la clôture, il me semble, remarque Debra avec lucidité.

– C'est vrai, mais on n'est pas obligés de prendre de la laine, dit Florentine, coquine. Prenons de vieux draps qu'on va déchirer en bandelettes et nouer bout à bout, pour se faire des pelotes de tissus, comme des pelotes de laine. Ça sera pas aéré, ça ! Je vous le garantis !
– C'est possible, faire ça ? demande Francesca.
– Mais tout est possible ! répond une autre vieille. Dans mon temps, on se débrouillait avec ce qu'on avait. On avait pas d'argent pour s'acheter des aiguilles ; on tricotait avec des crayons HB, ou bedon avec des bâtons de *popsicle*. J'ai même déjà vu ma mère tricoter avec des cure-dents !
– Et qu'est-ce qu'on va utiliser, en guise de grosses aiguilles à tricoter ? demande Tristan, derrière sa caméra.
– Ce que t'as dans ton sac fera parfaitement l'affaire, dit Denise-la-ricaneuse, en lui volant ses fameuses baguettes qui sortent de la poche de son sac d'école.

Nous ajoutons nos rires à celui de la vieille ratoureuse ; nous allons tricoter avec des baguettes de *drum* !

*

Depuis mon casier, j'assiste à une triste scène entre Marie-Jeanne et un imbécile de qualité.

– Il paraît que t'as perdu ton nez ? demande Benoit Roy-Trudel, un gars de secondaire 5 stupide comme ce n'est pas permis.
– Mon nez ? Qui t'a dit ça ? Flavie ? répond Marie-Jeanne.

– Ouin. C'est pas vrai ?
– Oui, oui, c'est vrai : j'ai perdu mon nez. Quand j'avais cinq ans, un mononcle me l'a volé, et il a décidé de jamais me le redonner !
– T'es conne.
– C'est toi qui es con, Benoit Roy-Trudel !

L'imbécile de qualité part en riant comme un moron et Marie me jette un coup d'œil. Ce n'est pas un regard fâché. C'est un regard qui dit seulement : vois un peu comme je ne l'aurai pas facile, maintenant que tout le monde le sait ! Je lui fais ma plus belle bouille de compassion. Je n'ai pas à me forcer. Je suis réellement remplie de désolation, de culpabilité et d'empathie pour mon amie dépourvue d'odorat.

– C'est pas grave, Cybèle. Des morons, il y en aura toujours !

C'est là le grand drame humain : pourquoi faut-il tant de morons dans les polyvalentes du Québec ?

*

Marie vient à la maison regarder l'un de nos derniers épisodes de *M'as-tu vu ?*. Mon amie, habituellement portée à s'extasier de joie devant cette téléréalité, parle durant toute l'émission. Elle se fiche un peu des projets de nos concurrents de Chaudière-Appalaches et même des extraits nous mettant en vedette. Elle préfère me mettre à jour sur sa vie. Patricia a commencé des cours de flamenco, question de rentabiliser ses robes froufroutantes. Avec le dodu Richard, elle a aussi pris des cours de tango, question de lui faire perdre quelques livres. Puisqu'elle n'y a jamais mis les pieds (ni moi, d'ailleurs), le riche beau-père de Marie lui propose de faire un voyage à Walt Disney, à Orlando, en Floride, cet été. Et il est très ouvert à ce qu'elle amène l'amie de son choix, toutes dépenses payées.

– C'est toi que je choisirais, si tu veux.
– Mets-en, que je veux ! que je crie un peu trop fort.
– Faudrait juste pas que tu me traites comme de la vitre… Mon beau-père aimerait pas ça.

Je me mords la lèvre inférieure, repentante de mon comportement des dernières semaines.

– Je vais te traiter comme tu le mérites, Marie. Je vais te traiter comme un diamant.

Marie bat des cils à la Marilyn Monroe, comme si des pierres précieuses étaient encastrées sous ses paupières. Pour ma part, je fais des yeux doux. Aller en Floride sur le bras de Richard avec mon amie la plus précieuse ? N'importe quand !

JOUR 18

Il fait un gros soleil d'été. Quelque chose est déréglé avec la météo, mais ce n'est pas moi qui vais m'en plaindre. Après l'hiver infini qu'on a vécu, que le printemps soit aussi chaud est une belle compensation. Je suis assise en indien dans la cour de récré, le dos appuyé contre la brique brûlante de Marie-de-la-plus-Haute-Espérance et je détaille ce qui m'entoure. Je dois bien être la toute dernière ado à m'attendrir devant l'herbe qui persiste à percer l'asphalte ou à m'émouvoir devant l'hystérie collective des premières fourmis du printemps tentant de trouver des issues sur le terrain.

Je suis d'un calme olympien, alors que tout le monde panique autour de moi. Je me détache véritablement de la téléréalité. La nouvelle qui tombe comme une bombe ce matin ne me bouleverse pas, contrairement à Flavie et aux autres.

La rumeur s'est propagée comme une traînée de poudre: ça va mal pour *Cool comme tout!*. Très mal, même. La chaîne aurait fait une terrible gaffe en diffusant dans les journaux d'hier matin une publicité de très mauvais goût. Je l'ai bien vue, cette pub, dans le *Journal de Montréal* que Marie a apporté ce matin, pour nous le montrer. Dans la section Arts et Spectacles, sur une moitié de page, on voit une ado de mon âge au sourire rafraîchissant. Le traitement flou de la photo a quelque chose de *vintage*. Sur l'image, on peut lire en gros: «*Elle a trop hâte de savoir quelle école remportera* M'as-tu vu? *ce samedi!»* En bas, en plus petit, se trouvent les infos sur la diffusion de l'ultime épisode de la saison.

Une publicité séduisante et *punchée*, quand on ignore ce que tout le monde sait à présent, depuis qu'un journaliste a révélé la chose au *Téléjournal* hier soir : c'est une photo de Manon Larrivée, une adolescente québécoise tuée dans les années 90, à Montréal. Un jeune graphiste inexpérimenté aurait utilisé cette image sans savoir à qui appartenait le visage. Il aurait fait une recherche dans Google images. Il aurait tapé « Adolescente » et serait tombé sur la jolie tête un peu démodée d'une ado. Il l'aurait simplement téléchargée et utilisée, en ignorant totalement que l'adolescente *vintage* avait fait la manchette pour avoir été sauvagement assassinée dans le quartier Hochelaga-Maisonneuve en 1993. Quelle bourde monumentale !

Eh, *boboy.* Utiliser une ado assassinée pour illustrer une publicité de chaîne télé jeunesse. Oups. Méga-giga-oups. C'est terrible, qu'écrivent tous les journalistes. Personnellement, je dois avoir l'esprit tordu, mais je trouve ça un peu drôle. Absurde, surtout. J'essaie juste de m'imaginer la face qu'a faite le graphiste quand on lui a dit : « Euh… C'est parce que t'as pris la photo d'une ado assassinée pour annoncer notre chaîne télé jeunesse. » Je l'avoue, ça me fait un peu rire.

Dans les journaux et à la télé, ça s'excuse et s'accuse gros comme le bras. « C'est une erreur regrettable, dont on mesure la gravité », a déclaré le *big boss* de

Cool comme tout!. Pour sa part, la rédaction du journal affirme avoir laissé passer la publicité entre ses pages uniquement parce que la photo était floutée (c'est un vrai mot, il paraît). Mais malgré le *floutage* de la photo, un internaute y a reconnu l'ado tuée. Les parents de la fille se seraient dits choqués par l'utilisation de la photo. On les comprend, quand même. Il paraît que la gaffe de la chaîne télé s'est propagée comme une traînée de poudre sur les réseaux sociaux. On peut même parler d'un véritable *buzz* sur internet. Ce sont les mots de la reine du *networking* en personne, Flavie. Moi, je trouve ça drôle, oui, mais il me semble qu'on exagère. Outre la gaffe du graphiste, on reproche à la chaîne jeunesse de ne pas payer de droits d'utilisation de photos. Il paraît qu'il faut payer pour utiliser une photo. Si la chaîne de télé l'avait fait, elle aurait compris que ce n'était pas une photo libre de droits, et surtout pas une photo vendeuse.

Pour le moment, ça ne remet pas en cause la finale de demain de *M'as-tu vu?*, mais disons que mon clan craint que ça bouscule les cotes d'écoute. Moi, je m'en fiche un peu. Marie aussi, ça ne la trouble pas plus que ça. Même si notre projet de cette semaine m'emballe, je doute que nous puissions faire le poids devant le clan de Taz. Flavie, elle, a si peur que la victoire nous échappe qu'elle passe ses soirées à se créer de nouvelles adresses courriel bidon (sans moi, je précise), question de voter toujours plus pour notre école. Elle inonde son Facebook de supplications « Votez pour nous, pour l'amour! » Elle m'a donné une liste de courriels et m'a demandé de l'aider à voter à partir de ces nouvelles adresses inventées, mais je ne l'ai pas fait. Je vais tenter de me concentrer un peu sur mes travaux d'école. Mes priorités ne sont plus les mêmes que les siennes.

*

Florentine avait raison : ça fonctionne très bien, cette idée de draps rapiécés en pelotes de laine. Ce matin, Olivier, Tristan et moi, nous nous sommes chargés d'aller acheter le plus de draps usagés possible avec de l'argent que monsieur Mignot a pigé dans le budget des projets socioculturels. Cette idée de clôture tricotée l'a séduit ; il a tenu à ce que l'école soutienne notre projet. Olivier a son permis de conduire, alors, avec la voiture de son père, nous avons fait le tour de tous les sous-sols d'église, de tous les bazars, de toutes les friperies et de tous les organismes de nécessiteux de la Montérégie. De leur côté, Debra, Francesca et Flavie ont recueilli des draps usagés de leurs contacts Facebook. Marie-Jeanne, pour sa part, a demandé à Richard de l'aider. Il aurait contribué en passant dans une boutique de literie où il lui aurait acheté plein de jolis draps neufs. Bravo le gaspillage ! Eh, *boy*, ce que l'argent peut faire !

Grâce à Marie, nous avons eu l'aide des élèves des cours d'arts plastiques de notre école pour déchirer les draps et les transformer en pelotes de tissus aux couleurs tendres. Plusieurs d'entre eux – des filles, surtout, mais aussi quelques gars ! – nous ont même aidés à tricoter des carrés de différentes grandeurs. Le débrouillard

Tristan est passé chez Archambault (section instruments de musique) et a demandé une commandite de baguettes de *drum*, en leur assurant que leur nom allait figurer dans notre documentaire, diffusé lors du dernier gala. Il est revenu avec une grande quantité de baguettes, qu'on a tous transformées en aiguilles à tricot !

Nous passons un magnifique après-midi à écouter nos vieilles voisines nous raconter leur adolescence, tout en tricotant des carrés de draps recyclés. Le tout sur fond de vieux succès de Ginette Reno dont raffolent nos nouvelles amies, ce qui fait beaucoup rire Tristan. Je le regarde imiter la grosse voix de la chanteuse, en déposant ses mains sur un ventre imaginaire. « Mais mooooooooooi-a, je n'suis qu'uuuuuuuneeeeeeeeee chaaaaansoooooooon… Je ris, je pleeeeeeure à la moindre émotiooooooon… Avec mes laaaarmes et mon rire dans mes yeux… J'vous ai fait l'aaamouuuur de mon mieux… »

Tout le monde rit. Olivier, les filles et les dames âgées. Et moi, surtout. Totalement conquise par la folie, l'humour et le talent comique de Tristan. Il termine, salue sa foule en délire et m'envoie un clin d'œil craquant. Quelque chose fond en moi, et une baguette de *drum* me tombe des mains.

Oups.

Je flanche peu à peu.

*

J'oublie de regarder l'épisode de ce soir. Mon esprit est trop occupé à jongler entre les visages de Maxime et de Tristan. Les traits de l'un se transforment continuellement en ceux de l'autre. C'est comme si je traçais leur beau visage respectif sur du papier calque et que je les superposais, pour créer un nouveau garçon. Maxtan ou Tristime. Un gars superbe, parfait pour moi. Un gars avec la loyauté, la droiture, la bonté, la douceur et les yeux verts de Maxime, mais avec le génie, le talent, la folie et les grandes mains de Tristan. Rassurant comme Maxime Daneau. Mais physiquement présent comme Tristan Meunier, qui meuble mon quotidien à l'école. Pourquoi est-ce que je pense de moins en moins à Maxime? Est-ce parce qu'il n'est pas dans la bonne école? Ou est-ce parce que Tristan exagère, côté charisme?

Avant de m'endormir, c'est l'image de Tristan comiquement travesti en Ginette qui s'impose à mon esprit. Je m'endors avec un sourire coupable.

Un sourire coupable, oui. Je sais maintenant que ça existe.

JOUR 19

C'est la dernière journée de tournage de *M'as-tu vu ?* à l'école Marie-de-la-plus-Haute-Espérance. Pour l'occasion, notre petit clan s'est cotisé pour acheter une magnifique plante à monsieur Mignot, pour sa grande générosité. C'est Tristan qui a eu l'idée, touché par le témoignage de notre directeur sur son amour du jardinage. Nous trouvions tous que c'était un cadeau plus charmant qu'une bouteille de gel pour les cheveux ! Olivier s'est chargé de l'acheter dans la boutique de Damian, son viril amoureux qui nous a fait un prix d'ami en plus de nous la livrer lui-même avec sa voiture.

« Au départ, j'ai pensé à l'anthurium. C'est une plante dépolluante super bonne pour éliminer l'ammoniac. Mais y a un hic : son parfum peut provoquer des migraines ou bedon des allergies. Après ça, j'ai pensé à un pied d'éléphant ou à une langue de belle-mère, mais il m'en restait plus des jolis. Finalement, j'ai choisi pour vous un papyrus, une plante aux feuilles en forme d'étoiles. Un peu comme des doigts ! » nous informe le fleuriste aux bras tatoués et au crâne rasé. Il précise aussi que c'est une plante d'intérieur qui exige énormément d'eau. Mais si monsieur Mignot arrose ses plantes avec la même intensité qu'il verse le gel dans sa chevelure chaque matin, il n'y a pas de crainte à avoir pour la longévité de ce beau papyrus !

Nous profitons du moment où notre directeur fait un appel à l'interphone au secrétariat pour poser la colossale plante au centre de son bureau et nous placer sagement tout autour, comme des enfants de chœur. Quand monsieur Mignot revient, nous l'accueillons dans un tonnerre d'applaudissements qui l'émeut, visiblement. Il passe même un index au coin de ses yeux. Flavie lui lit une belle lettre de remerciement, où elle salue sa confiance. À la fin de la lettre, il enlève carrément ses lunettes pour essuyer les larmes qui roulent sur ses joues. Je n'ai jamais vu autant d'hommes pleurer en si peu de temps.

Je donne deux gros becs à mon directeur, qui a accepté de me placer dans la lumière de cette téléréalité. Ça fait chaud au cœur, quand on sait que ma dernière directrice m'a reléguée dans le fin fond de la classe, dans la pénombre, hors champ.

Mais à présent que j'y ai goûté, aux projecteurs éblouissants, étourdissants et stressants, les néons ordinaires des salles de classe vont me faire le plus grand bien. Il est temps que ma vie se poursuive dans la simplicité.

J'ai hâte de redevenir ce que je suis : une banale adolescente.

JOUR 20 (FINALE)

C'est le dernier gala au studio Mel's. Ou, pour utiliser le même mot *punché* que Flavie, c'est l'*ultime* gala. « Notre ultime chance de briller », qu'elle répète en boucle à tout le monde. Ça a quelque chose de légèrement tannant. Elle n'est pas stupide ; elle voit bien que je m'éloigne peu à peu d'elle, depuis une semaine. Alors elle est pleine de petites attentions pour moi, comme me tirer le portrait avec l'animateur vedette.

– Je la poste sur ton mur Facebook ce soir, promis, Cyb !

Je ne sais pas comment réagir à ça. Je ne sais plus quoi penser d'elle. C'est une bonne fille. Elle a juste un peu trop envie qu'on l'aime. Comme moi, sans doute…

Si Flavie ne tient pas en place, ce soir, le reste du clan est étonnamment calme. Francesca, Debra, Olivier, Tristan, Marie et moi sommes moins fébriles que les dernières semaines. Pendant que Flavie erre dans les coulisses, rivée à son iPhone, en train de créer de nouvelles adresses courriel inventées de toutes pièces pour voter encore et toujours plus, nous, les autres, nous nous tenons dans notre loge et nous jouons à des jeux, question de faire passer le temps en attendant notre tour. Je suis assise à côté de Tristan. C'est une mauvaise idée. Son odeur me chamboule un peu trop.

Le documentaire que nous avons concocté (soyons honnêtes : que Tristan a concocté) est à mon sens le plus beau des quatre que nous avons faits. Il s'en dégage un esprit d'entraide hors du commun. On y voit nos apprentissages chaotiques avec les petites aiguilles à tricoter et la fine laine, jusqu'à l'assemblage de tous les carrés de tricot, que nous avons fait hier. J'aime particulièrement le moment où Florentine, Denise et deux autres gentilles voisines plus discrètes viennent nous aider, dans le local d'arts plastiques de notre collège. C'est beau de les voir se mêler à une quinzaine d'élèves et à monsieur Mignot pour nous montrer à créer l'immense courtepointe qui deviendra l'habillement de la clôture séparant notre collège du centre d'hébergement.

Pour appuyer ses images, Tristan a mis une belle musique de Yann Tiersen, le compositeur qui a fait la musique du *Fabuleux destin d'Amélie Poulin*. L'air de piano utilisé est tiré de *Goodbye Lénine !*, un film qui, aux dires de Tristan, parle de la chute du mur de Berlin, ce qui est assez éloquent pour nous. La musique est magnifique, vraiment. Festive et bouleversante à la fois. À la fin du documentaire, pour faire rire nos voisines âgées, il a mis une chanson de Ginette Reno. On voit la clôture se recouvrir de tricot sur le sympathique air « Des croissants de soleil » :

Je t'offrirai
Des croissants de soleil pour déjeuner
À la saveur de miel et de rosée
Sur un plateau de draps et d'oreillers
Qui fait rêver

J'inventerai
Des recettes de bonheur à volonté
Sur une musique venue d'un ciel de mai
Que tu ne voudras plus jamais quitter
Sans regretter.

Il espère que ça les fera rire. Car, oui, belle surprise, elles sont trois à être dans le public, ce soir. Florentine, Denise et Marguerite. Elles se sont déplacées pour venir nous applaudir. Et elles ne sont pas les seules. Ma mère est là, comme toujours (elle ne manquerait jamais ça, bien évidemment !). Elle est venue avec Maxime. Mon Maxime que je ne vois presque plus. Mon Maxime si loyal, si droit, si bon, si doux. Mon Maxime aux yeux magiques. Mon Maxime tellement rassurant. Mon Maxime que j'espère aimer toujours, que j'espère mériter toujours.

La soirée débute avec les présentations des élus des écoles finalistes, aspirant toutes deux au titre de la plus *cool*. Les premiers à passer sont les élèves de l'école de Taz. Pour la dernière, ils ont mis le paquet ! C'était à prévoir ; ils sont de farouches adversaires ! On a droit à un défilé de mode antisuperficialité. Taz se fait une fois de plus ambassadeur de la normalité, de la simplicité, lui pourtant tellement unique : « C'est notre façon de critiquer la mode actuelle. Les mensurations exigées par les agences et les producteurs sont irréalistes et dangereuses. Par exemple, pour les femmes, pour une taille minimale de 5 pieds 8, on exige souvent un poids avoisinant les 110 livres. Ce genre de normes encourage l'anorexie ou les régimes extrêmes. Nous, on dit non aux canons esthétiques véhiculés par la mode. Les jeunes, on le sait, on est impressionnables et influençables. Voir ça, ça peut nous mettre des idées dans la tête. On finit par croire que la beauté, c'est peser 110 livres. Mais c'est tellement pas vrai. Heureusement, de plus en plus, on critique l'extrême maigreur de certains mannequins féminins. D'ailleurs, un gros bravo aux organisateurs de la Semaine de la mode 2006 de Madrid, qui ont interdit la participation de mannequins ayant un indice de masse corporelle inférieur à 18. Parce qu'en bas de 18, l'Organisation mondiale de la santé considère que c'est maladif. Nous, on peut juste encourager ça : le gros bon sens. Mais c'est pas tout le monde qui embarque dans ce vent de changement. Plusieurs designers, comme le couturier Karl Lagerfeld, persistent à penser que la mode est juste faite pour les maigres. C'est d'ailleurs lui qui a critiqué le poids de la chanteuse Adèle en disant qu'elle était trop grosse. Non, vieux *schnock*, Adèle est pas grosse. Elle a un poids normal. Et nous, on trouve ça beau. Adèle serait invitée à notre défilé de mode n'importe quand ! Nous, à l'École du Soleil plein la tête, on veut démocratiser les podiums. Tout le monde a le droit de défiler, peu importe son tour de taille et sa grandeur. La beauté, pour nous, c'est pas dans la symétrie. D'ailleurs, c'est Marilyn Monroe elle-même qui a affirmé que l'imperfection, c'était la beauté. On pense comme elle ! Vive nos corps ordinaires ! Vive nos imperfections ! »

Très beau plaidoyer, oui. Mais bon, c'est toujours facile de dire que les imperfections, c'est *sexy* et c'est *in* et c'est *hip*, quand on n'en a strictement aucune ! Parce que oui : Taz Dufresne, tout comme la suave Marilyn Monroe, n'ont pas de soucis à avoir avec les canons de beauté.

Une pause publicitaire, encore. Puis c'est notre tour. Avant de grimper sur la scène, nous sommes tous compactés les uns sur les autres en coulisse. Tristan est derrière moi. Il approche sa bouche de mon oreille. Il souffle : « Tu sens vraiment bon, ce soir. » Je rougis. Marie-Jeanne, devant moi, entend les mots de Tristan. Elle réprime un petit rire ; elle m'a donné sa bouteille de parfum de Justin Bieber hier. Elle sait que je sens la *Girlfriend* de Justin, même si son odorat ne peut pas le confirmer.

On nous donne le signal. Tout le clan grimpe sur la scène, Marie-Jeanne en tête. Nous présentons notre documentaire, qui nous gonfle de fierté. *Pour faire tomber les murs*, qu'il s'appelle. C'est Marie qui a trouvé le titre. C'est d'ailleurs elle qui, à l'avant-scène, vient expliquer notre démarche. C'est naturel : c'était son projet. Ça lui revenait de droit. Elle s'avance avec sa toute nouvelle assurance et présente notre activité dans nos mots à toutes les deux (hier, j'ai passé la soirée chez elle à l'aider à composer son message) : « Une clôture est érigée entre le centre d'hébergement et l'école depuis la fondation de notre collège en 1975. Une clôture rouillée, parfaite pour attraper le tétanos.

Nous avons appelé à la ville pour demander que soit retirée la clôture, mais on nous a dit que c'était impossible. Que les deux établissements devaient être clôturés. La clôture est laide comme un bouton dans le front. Qu'est-ce qu'on fait quand on a un bouton sur le front ? Eh bien, on le maquille ! C'est ce que nous avons fait. Nous avons eu l'idée de masquer la rouille en l'habillant de laine. Il y a deux semaines, lors de notre reportage sur la solitude de nos voisins âgés, on avait remarqué combien le tricot était important dans la vie de plusieurs d'entre eux. Des femmes, surtout. Comme Florentine, Denise et Marguerite qui sont ici, ce soir, dans la salle ! On les salue ! Et... on s'est aussi inspirés d'un... comment on les appelle déjà ? De... humm... Oh, Cybèle, je t'invite à venir m'aider un peu, là ! Je suis un peu perdue. Le texte était trop long pour moi ! »

Toute la salle rit, sans aucune méchanceté. C'est juste charmant comment le désarroi s'est momentanément jeté dans le discours de Marie. J'accours aussitôt et prends le relais, au grand soulagement de mon amie : « Me voici, me voici ! Ce que disait mon amie, c'est que nous nous sommes inspirés d'un mouvement né à Montréal : les Villes-laines. C'est un collectif d'artistes qui recouvrent les arbres et le mobilier urbain avec du tricot. C'est du *soft-terrorisme.* Des graffitis temporaires, dans le fond. Mais ça a rien d'agressif. Au contraire, c'est très doux. Ça a quelque chose de rassurant et de drôle. Voir une borne-fontaine, un lampadaire, un parcomètre ou une cabine téléphonique enrobés de laine, ça fait toujours sourire. Alors nous, on a décidé de recouvrir l'horrible clôture rouillée qui sépare les deux terrains, question d'égayer le paysage de chaque côté. N'est-ce pas, Marie ? »

Je regarde Marie qui fait oui de la tête et lui tends le micro.

– Veux-tu continuer ?
– Non, non, vas-y ! T'es meilleure que moi là-dedans !

Autres rires gentils dans l'assistance. L'absence de filtre de mon amie fait toujours sourire. Son honnêteté est toujours sidérante. Je poursuis, presque sans aucune nervosité. Ma voix est plus calme que jamais.

« Les charmantes mamies nous ont donné des cours de tricot. Ensemble, on a récupéré plein de draps qu'on a transformés en pelotes de laine. Et on a appris à tricoter avec des baguettes de *drum* ! C'était très drôle de voir les grands-mamans apprendre le tricot aux gars du groupe avec ça dans les mains ! On a recouvert la clôture qu'on a baptisée le Pont de l'espérance. C'est pas véritablement un pont, mais nous, c'est comme ça qu'on veut le voir. Pour qu'il y ait un lien véritable entre les deux générations. La nôtre et la leur. »

Les applaudissements fusent. Je salue un instant, puis pousse Marie-Jeanne pour qu'elle reçoive en solo sa propre part d'ovation. Lorsqu'elle s'avance, les applaudissements redoublent. Elle a clairement charmé le public avec sa spontanéité, sa fraîcheur. Marie triomphe et j'en suis absolument ravie. Je ne suis pas jalouse ; j'ai été suffisamment acclamée les dernières semaines. Elle attendait tellement ça. C'est son tour.

Pendant que les téléspectateurs (et Flavie sur son iPhone vissé à sa main) votent pour l'école la plus *cool*, la production nous offre, sur écran géant, un émouvant montage des plus beaux moments de la saison. On revoit tous les bons coups comme les gaffes, scènes inédites en sus. Tout y passe : les répétitions malheureuses de *La Terre épouse le Ciel*, la pièce de théâtre à saveur environnementaliste de Céleste Fournier, les contorsions d'une élève très flexible de l'école des Éternelles Gossantes sur *Diamonds* de Rihanna, la confection douteuse de signets maisons de KellyAnn et Karianne à partir de Google images, les parties réussies de Génie en herbe de Raphaël-Carl Gamache, les échanges de vêtements du clan de Taz, nos remue-méninges dans le petit local « LGBT et amis », le témoignage émouvant de notre directeur… De beaux souvenirs et de moins dignes. Ce dernier gala a des allures de bilan, comme lors de la première édition de *M'as-tu vu ?*.

Mais toute bonne chose a une fin. Le stress, qui m'avait désertée ce soir, revient me ramollir les jambes et me ravager les sangs. L'annonce de l'école championne est sur le point d'être faite. J'ai cru un instant que l'issue de ce concours m'importait peu. C'est faux. Au fond de moi, je désire gagner. Au fond de moi, j'encourage Flavie à passer les pauses publicitaires à voter illégalement pour notre collège et à péter allègrement son forfait. Au fond de moi, je souhaite être plus aimée que Taz Dufresne et sa bande exceptionnelle. Car voilà : la mienne aussi est exceptionnelle.

Les deux clans des écoles finalistes se rejoignent sur la scène du studio Mel's. Monsieur Mignot est parmi nous. Il a abusé du gel. Sa tête reluit comme la coupe Stanley. J'espère que ça nous portera chance. Mais la plus nerveuse, c'est Flavie. Elle veut tant gagner, c'est lisible sur son visage figé. Son sourire est étincelant d'angoisse, pareil à une assiette en aluminium qui tournerait dans un micro-ondes (ce que ma mère m'a toujours formellement interdit !). C'est à croire que si on ne gagne pas, ça va faire des flammèches, cette histoire-là !

L'animateur vient à l'avant mettre un terme à notre supplice collectif. Il annonce enfin, après quatre longues semaines de compétition, la grande école gagnante de cette deuxième édition.

– J'ai le plaisir de vous annoncer le nom de l'école la plus *cool* de l'édition hiver/printemps 2014 de *M'as-tu vu ?*. Il s'agit de (il ouvre l'enveloppe sur un roulement de tambour des musiciens sur scène) : le COLLÈGE MARIE-DE-LA-PLUS-HAUTE-ESPÉRANCE !

Ataboy. Je suis aimée.

Au moment même où cette révélation m'est faite, une pluie de confettis métalliques inonde la scène et ma chevelure. Tout le monde se jette dans les bras les uns des autres pendant que l'animateur braque son micro sous mes lèvres, pour recueillir mes ultimes commentaires. Que dire de pertinent? Rien, sinon « merci ». C'est ce que je souffle, les yeux pleins d'eau. Ce sera la dernière image de Cybèle Campeau-Grégoire. Je suis peut-être aussi vide que Magali-pas-de-E?

D'autres élèves du collège que je connais à peine nous rejoignent sur scène, pour crier leur victoire. Ils viennent montrer aux caméras combien ils sont *cool comme tout*! Deux d'entre eux – des freluquets de secondaire 2 – ont le projet débile de me porter sur leurs épaules, en signe de victoire, comme si j'étais une coupe Stanley à moi seule. Mais je suis trop lourde pour eux. Résultat, je tiens en place un gros cinq secondes avant de basculer sans grâce aucune dans les bras de Tristan, venu à ma rescousse.

Je ne sais pas si nous sommes toujours en ondes. Dans le doute, plutôt que d'insulter les deux morons m'ayant portée comme un trophée sans mon consentement, j'éclate d'un beau rire sympathique. Comme si tout ça m'avait amusée. Vous pouvez m'échapper comme un sac de patates, les gars, j'ai aucun problème avec ça (*not*)!

– Ça va, Cybèle?
– Oui, oui, hahahaha. Merci de m'avoir rattrapée. Hahahaha.
– Pourquoi tu ris?
– Je sais pas. Hahahaha.

– L'émission est finie, Cybèle. T'es plus obligée de rire.
– Est-ce que je peux pleurer? que je lui demande, vivant l'humiliation de la chute.
– Tu fais ce que tu veux. C'est pas moi qui vais te juger.

De grosses larmes silencieuses roulent immédiatement sur mes joues. Des larmes à gros débit, comme si la congestion dans mes tuyaux internes durait depuis trop longtemps. Tristan passe un de ses pouces parfaits sur mes joues, pour effacer mes pleurs.

– Ouin. T'étais due, remarque-t-il, parmi les aliénants cris de victoire autour de nous.
– J'étais due.
– C'est fini, Cybèle. Lundi, l'école va reprendre comme avant.
– C'est vrai. J'ai un examen de biologie. J'ai pas étudié encore.
– Moi un exam d'anglais. Pas étudié non plus. On était occupés ailleurs.

Les cris de joie avalent ses derniers mots. J'ai envie de faire taire la foule débile pour que seul Tristan me chuchote à l'oreille.

– Si tu veux, demain, je peux t'aider en bio. J'étais super bon, l'an passé. J'ai encore mes copies d'examen chez nous, en plus. Je jette rien.

Oui, mille fois oui. Je vais me garrocher chez toi, Tristan, pour que tu me confirmes de quel côté se trouve le cœur, dans quel sens circule le sang vicié et le nombre de couches de peau qu'il y a sous l'épiderme.

– Ah, peut-être… En échange, je vais essayer de t'aider en anglais. Mais je pense que t'es meilleur que moi.
– Je suis pas mal bilingue. Mais on s'en fout. Je te l'offre.
– T'es fin.
– Je suis pas fin, je t'aime !

Le pouce parfait de Tristan se promène maintenant sur ma nuque et effectue une caresse qui me donne la chair de poule. Mon épiderme, mon derme et même mon hypoderme se hérissent ! Mon sang vicié se transforme en sang pur. Mon cœur accélère, côté gauche.

Tristan éclaire à merveille ma biologie.

Les mots de Tristan me reviennent en boucle, se déformant peu à peu : *Je suis pas fin, je t'aime ! Suis pas fin, je t'aime ! C'est parfait, je t'aime ! C'est parfait, il m'aime ! C'est parfait, on s'aime !*

– Lâchez-vous un peu, les amoureux !

C'est Flavie qui surgit de la foule, pour partager sa joie et interrompre ce moment béni. Son sourire est redevenu une pub de Crest. Plus de trace d'angoisse.

– Je veux féliciter notre ambassadrice ! Qu'est-ce que ça te fait, Cyb, de savoir que dès lundi, tu pourras emprunter des livres à la Bibliothèque Cybèle Campeau-Grégoire ?

Quoi ? Mais elle a bien trop raison. Ça m'était complètement sorti de la tête.

LA BIBLIOTHÈQUE CYBÈLE CAMPEAU-GRÉGOIRE

Pendant un bref instant, la marquise avec mon nom en lettres capitales prend toute la place dans mon esprit. Mais ma vanité est frêle à côté de mon tumulte intérieur. Tristan m'excite plus que de voir mon nom affiché pompeusement. Par contre, si on me permet d'acheter les livres de mon choix, je vais commander des centaines de copies d'*Anastasie*, le livre de mon père, question de mousser ses ventes et d'éviter que j'aie à changer d'école en septembre. Ce serait une catastrophe. Pas maintenant ; je me suis fait trop d'amis pour les perdre si tôt.

Flavie me ramène à la réalité en me serrant dans ses bras.

– On fait la paire, toi et moi. Pas vrai ?
– Hum hum.
– *Yes*, madame ! On est les *best* !

Je cherche Marie du regard. Elle est entourée de Richard-sirop-pour-la-toux-grasse Tougas et de Patricia, costumée en danseuse de flamenco plus intense que jamais. Elle est l'Espagne à elle seule. Je ne sais pas si elle applaudit sa fille ou si elle danse en se tapant sauvagement dans les mains. Je délaisse Flavie pour fendre la foule et me rendre à ma vraie meilleure amie. Je la serre contre moi.

– On m'a applaudie pas mal fort, hein, Cybèle ? C'était pas juste dans ma tête, non ?
– C'était vraiment pas juste dans ta tête, que je lui répète en riant. C'est grâce à toi, Marie. T'as eu les plus belles idées. Le public t'adore.
– Tu penses ? demande-t-elle, avec une touchante candeur.

Marie fouille dans la sacoche Betty Boop de Patricia et en sort un sac en papier.

– Ferme les yeux et tends les mains ; j'ai une surprise pour toi.

Je m'exécute. Quelque chose de doux et chaud se dépose dans mes mains offertes. Je tâte ce que je soupçonne être un foulard.

– Tu peux les ouvrir.

En plein dans le mille ! Marie m'a tricoté un superbe foulard vert céladon !

– Ça va faire ressortir tes cheveux de feu, l'automne prochain. Je sais qu'il est pas de saison, mais je pouvais pas attendre avant de te le faire.

– Mais quand est-ce que t'as eu le temps de faire ça?! T'es une vraie machine! Tu passes tes nuits à tricoter, ou quoi?

Marie hausse les épaules pendant que moi, je couvre les miennes du tricot, comme si c'était un voile vaporeux de bal de finissants. J'ai donc été suffisamment fine? L'ai-je bien mérité? Suis-je redevenue la Cybèle loyale que mon amie aimait tant?

Maxime monte sur la scène. Toute cette effervescence l'intimide, visiblement. Il s'approche pour me féliciter. Il m'embrasse calmement. J'ai peur qu'il sente ce qui se passe dans mon cœur. C'est un gars tellement observateur. Silencieusement, il passe son doigt sur mon cou, exactement là où Tristan vient de passer le sien deux minutes plus tôt. Je fige comme s'il venait de déverser une glacière sous ma robe. Est-il au courant? A-t-il pu entendre la déclaration que Tristan m'a faite? Dans cette cohue? Est-ce seulement possible???

– Tu avais un confetti, me dit-il, voyant mes yeux alarmés.
– Ah. Hahahaha. Ben oui, un confetti.
– Tu étais belle, ce soir. Belle et inspirante, comme toujours. Ça m'a fait penser à l'exposé oral qu'on a fait ensemble sur *Sainte Carmen de la Main*, en novembre dernier.
– T'es fin.
– Suis sincère.

Un silence. Eh, *boy*, la culpabilité coupe tout mon enthousiasme.

– Tu fais quoi demain ? Tu veux venir chez nous ?
– Je peux pas, je dois étudier pour un examen de bio que j'ai lundi.
– On peut étudier ensemble, si tu veux. J'ai un examen bientôt moi aussi, pis ça doit être la même matière.
– T'es super fin, mais j'étudie déjà avec une fille dans ma classe.

Je me méprise. Je me souhaite de brûler en enfer.

– Pas grave. Une autre fois.
– Comment va mon bel Antonin ?
– Bien. Plutôt bien. Il s'ennuie de sa Cybèle, lui aussi.

Goulp. Méga goulp. Vite, pitchez-moi dans le feu. C'est tout ce que je mérite.

Ma mère se manifeste, vient me prendre dans ses bras. « T'étais magnifique, ma chérie, blablabla… » Je ne suis pas magnifique, maman. Une fille magnifique n'agirait pas comme j'agis avec Maxime.

– Bon, on rentre, OK ? J'ai des achats à faire tôt demain matin. Il y a une vente de fermeture dans une boutique et je veux pas arriver trop tard pis qu'il reste plus rien.

Je jette un coup d'œil autour de moi. Tristan, Marie et les autres s'amusent, et ça ne semble pas être dans leur plan de mettre un terme au plaisir si tôt. Richard remarque la situation. Il propose à ma mère de me ramener ce soir, qu'il faut bien que les filles célèbrent un peu leur victoire. Ma mère fait oui de la tête.

– Tu viens, Maxime ? demande-t-elle à mon chum.
Maxime me regarde. Dans ses yeux, je lis : tu veux quoi ? Tu veux quoi, Cybèle, hein ? Que je reste ? Que je parte ? Veux-tu encore de moi ? Est-ce que je compte assez pour toi pour me mêler à tes amis, ce soir ? Vas-tu demander à Richard s'il reste une place dans son char pour me ramener chez moi ? Je lis tout ça dans ses yeux. Et malgré ça, je ne dis rien pour le retenir.

– Pauvre toi ! Ma mère conduit si bien, en plus ! dis-je à la blague, pour éviter de pleurer. Je t'appelle demain, pendant ma pause d'étude, Max.

Je lui donne un bec sec sur les lèvres, feignant une pudeur, étant entourée de tant de gens.

C'est maintenant la déception qui se lit dans les yeux de mon chum. Je le regarde s'éloigner avec ma mère vers le stationnement du studio Mel's et même si tout est de ma faute, je me sens abandonnée. J'ai chassé les gens qui m'aiment, alors il n'y aura pas de célébration possible.

Maxime s'éloigne et je ne crie rien pour le rattraper. Je ne cours pas après lui. Je reste figée comme une conne, des confettis métalliques dans mes cheveux roux. Je me mets à pleurer silencieusement, comme quand on sait qu'on a perdu quelque chose et qu'on se sait impuissant. Je pleure d'impuissance.

Mais il reste des gens qui m'aiment. Marie la première prend un bout du foulard qu'elle m'a tricoté et me sèche les larmes.
– Marie, fais-moi rire, *please.*
– Tu sens vraiment bon, ce soir.

Je ris dans les larmes et me réfugie dans les bras de mon amie. La tête sur son épaule, je remarque que Tristan me regarde, tout près, des coulisses. Il m'invite à le rejoindre, d'un mouvement de main. Je prends une grande inspiration pour me donner de la force et me dirige vers lui.

Je ne l'embrasserai pas. Quoiqu'il arrive, je ne l'embrasserai pas.

C'est ce que je me répète, comme un mantra. *Je ne l'embrasserai pas.*

Cybèle Campeau-Grégoire est une fille loyale et cohérente. Non ?

À SUIVRE…